高等教育自学考试系列辅导丛书
丛书组编 四川英华教育文化传播有限公司
Sichuan Yinghua Education & Culture Communication Co.,Ltd
编写依据《信息法教程》（朱庆华主编 高等教育出版社）

高等教育自学考试《信息政策与法规》辅导资料

信息政策与法规模拟试题集

（信息管理与服务专业）

主编 信息管理与服务专业编写组

课程代码
02133

西南财经大学出版社
Southwestern University of Finance & Economics Press
中国·成都

图书在版编目(CIP)数据

信息政策与法规模拟试题集/信息管理与服务专业编写组主编 . —成都:西南财经大学出版社,2017. 7
ISBN 978 -7 -5504 -3121 -8

Ⅰ. ①信…　Ⅱ. ①信…　Ⅲ. ①信息管理—政策—中国—高等教育—习题集②信息管理—法规—中国—高等教育—自学考试—习题集
Ⅳ. ①D922. 16 -44

中国版本图书馆 CIP 数据核字(2017)第 149834 号

信息政策与法规模拟试题集

XINXI ZHENGCE YU FAGUI MONI SHITIJI

信息管理与服务专业编写组　主编

责任编辑:李晓嵩

封面设计:张姗姗

责任印制:封俊川

出版发行	西南财经大学出版社(四川省成都市光华村街 55 号)
网　　址	http://www. bookcj. com
电子邮件	bookcj@ foxmail. com
邮政编码	610074
电　　话	028 -87353785　87352368
照　　排	四川胜翔数码印务设计有限公司
印　　刷	郫县犀浦印刷厂
成品尺寸	185mm ×260mm
印　　张	14
字　　数	245 千字
版　　次	2017 年 7 月第 1 版
印　　次	2017 年 7 月第 1 次印刷
印　　数	1— 3500 册
书　　号	ISBN 978 -7 -5504 -3121 -8
定　　价	32. 80 元

高等教育自学考试系列辅导丛书

编 委 会

编写说明

《信息政策与法规模拟试题集》系四川和云南两省高等教育自学考试独立本科信息管理与服务专业核心课程信息政策与法规的配套参考用书。该课程的主考院校为西南科技大学。自2006年开考以来，我们编写的复习资料已历时十余年之久，虽有数次修改，但因教材版本已修改几次，致使考试内容明显过时。该课程内容多、难度大，并且是一门应用性、专业性以及知识性较强的学科。因此，考生在复习迎考时觉得无从下手。为了满足广大考生复习备考之要求，我们根据长期从事高等教育自学考试教学和管理的经验，在第一版模拟试题集的基础上进行大幅度修改，历时一年之久，重新精心编写了本书，编写体例也进行了重新设置。

在编写时，我们依据西南科技大学发布的《信息政策与法规自学考试大纲》和高等教育出版社出版的《信息法教程》（朱庆华主编）以及历年考试试卷，并结合近年来信息科学、计算机科学、法律法规出现的日新月异的新成果、新理论，以模拟试题形式组织编写了本书。编写时，我们力求做到重点突出、内容全面，既有针对性，又有较强的实际效果。本书题型包括单项选择题、多项选择题、名词解释题、判断改错题、问答题等常规考试题型以及近年来的自考试卷，并配有较为完整的参考答案和自学考试大纲，以供考生练习使用。

模拟试题毕竟不是试题，有其局限性，希望考生在认真研读教材、大纲的基础上去练习，不可本末倒置，置教材、大纲于不顾，而一味地做题、猜题、押题，相信考生能理解我们编写此书的良苦用心。“书山有路勤为径，学海无涯苦作舟”，辅导书固然好，但也只是一个助手，在通往成功之路上，更多的是需要自学者的勤奋和努力。

“梅花香自苦寒来”，考生在学习信息政策与法规课程的过程中，只有掌握恰当的学习方法，熟读所学内容，多做练习，才会学好这门课程，取得优异的成绩，实现梦想。

知识随时在更新，我们会根据新形势、新情况，应广大考生要求，编写出更多、更新、更适合自考、更符合自考规律的辅导书。

在编写本书时，我们吸收了国内同行的许多经验和优秀教学成果，并得到西南科技大学自考办、四川科技职业学院自考办、成都航空职业技术学院继续教育学院、四川英华教育文化传播有限公司、西南财经大学出版社等单位的大力支持，在此一并表示感谢。

由于编写时间仓促和经验不足，错误与遗漏在所难免，希望考生和助学教师在使用过程中提出批评和意见，我们将会在再版时，进行更新与弥补。

编　者

2017 年 6 月于成都

丛书前言

依靠自己的力量，在有限的时间里学习一门新学科，从不懂到懂，从不会到会，从不理解到理解，从容易遗忘到记忆深刻，从不会应用到熟练应用，从模仿到创新，把书本知识内化为自己的知识，是一个艰难的过程。在这个过程中，自学者不仅需要认真钻研考试大纲，刻苦学习教材和辅导书，还应该做适量的练习，把学和练有机地结合起来，否则就不能达到预定的学习目标。“纸上得来终觉浅，绝知此事要躬行。”这是每一位自学者都应遵循的信条。

编写模拟试题，同样是不容易的事。它对编写者提出了相当高的要求：

- 有较深的学术造诣；
- 有较丰富的教学经验；
- 对高等教育自学考试有深刻的理解并有一定的辅导自学者的经历；
- 对考试大纲、教材、辅导书有深入的了解，对文中的重点、难点、相互联系等有准确的理解；
- 对自学者的学习需要和已有的知识基础有一定的了解。

只有把这些因素融会在一起，编写者才能编写出高质量的，有利于举一反三、事半功倍的模拟试题。

基于学习目标的考虑，我们把模拟试题大致分为以下四个步骤：

第一，单项练习：针对一个知识点而设计的练习题。其目的在于帮助自学者理解和记忆基本概念和理论。

第二，创造性练习：提供一些案例、事实、材料，使考生应用所学的理论、观点、方法创造性地解决问题。这类问题可能没有统一的答案，只有一些参考性的思路。其目的很明显，就是培养自学者的创新意识和能力。

第三，综合自测练习：在整个学科范围内设计练习题，尽量参考考试大纲的题型，组成类似考卷的练习题。其目的在于使自学者及时检测学习状况，帮助自学者做好迎接统一考试的知识及心理准备。

第四，历届试题练习：旨在帮助自学者能按正规考试要求进行学习效果的测试。

孔子曰“学而时习之，不亦乐乎。”一边学，一边练，有节奏、有规律地复习，不仅提高了学习效率，也会给艰难的学习过程带来不少的快乐。圣人能够体会到这一点，我们每一位自学者同样能体会到。如果通过这样的学习过程，实现了学习目标，实现了人生的理想，实现了对自我的不断超越，那么我们说这种学习其乐无穷也毫不夸张。

高等教育自学考试系列辅导丛书的编写和出版工作是一项艰巨而复杂的文化系统工程，需要付出很多的时间与精力来完成。立足现状，不骄不馁；展望未来，任重道远。我们满怀信心，肩负教育事业赋予文化企业的使命，承担科教兴国的中国教育梦，责无旁贷，无怨无悔。我们坚信只要怀有对文化教育事业的诚挚热爱，心系考生，情牵教育，胜利与成功一定属于付出努力的人。

编 者

2017 年 6 月

目 录

第一部分　自学考试大纲

第二部分　练习题

第三部分　近年自考试题汇编

第一部分
自学考试大纲

信息政策与法规(02133)自学考试大纲

（西南科技大学高等教育自学考试委员会）

Ⅰ　课程性质与设置目的

一、课程的性质和任务

信息政策与法规是高等教育自学考试信息管理与服务专业一门专业选修课。通过本课程的学习，学生可以了解信息法研究领域的现状，掌握信息法律法规的基本知识，树立信息法律意识，从而在今后的实际工作中加以遵守和运用。本课程对于培养懂法律的计算机专门人才具有重要的作用。

本课程采用由高等教育出版社出版，朱庆华编写的《信息法教程》作为正式教材。

二、课程的基本要求

通过本课程的自学，要求考生：掌握信息法制建设的意义和相关概念、关系，了解信息法制建设的现状；掌握国家信息安全的法律规范，进一步深入理解隐私权的相关规定，重点掌握信息产权法律规范；掌握商业秘密的保护制度，理解计算机软件的法律保护，重点掌握信息网络法律规范。在进行本课程的学习时，应针对本课程理论性强的特点，在学习了法律基础的基础上，理论联系实际，在实践当中更好地理解理论。

三、与有关课程的联系

本课程是学习计算机相关专业课的辅修课程。

四、课程考试标准

本课程的自学考试标准总体上与全日制普通高等学校同类专业的水平相一致。遵照国家高等教育自学考试的有关规定和信息管理与服务专业教学计划的要求，针对成人自学考试的特点，注意和强调知识的科学性、系统性和应用性，理论与实用相结合，加强对计算机相关法律知识的基本知识、基本概念和基本关系的理解和培养。因此，在考生自学和考试命题中，应充分注意对基本知识、基本概念的准确理解以及对基本关系的熟悉与掌握。

Ⅱ　课程内容与考核目标

第一章　信息法制建设的意义与现状

一、学习目的和要求

通过本章的学习，理解信息立法的必要性，掌握信息法制建设的重要性，了解国内外信息立法的现状。

二、课程内容

（一）信息法制建设的意义

（二）信息法制建设的必要性

（三）信息法制建设的重要性

（四）主要国家信息法制建设的现状

1. 北美信息法制建设的进展

2. 欧洲国家信息法制建设的进展

3. 亚洲国家信息法制建设的进展

三、考核知识点

（一）信息法制建设的重要性

（二）美国、加拿大、德国的信息法制建设的特点

四、考核要求

（一）综合运用：信息法制建设的重要性

（二）识记：美国、加拿大、德国的信息法制建设的特点

第二章　信息法概述

一、学习目的和要求

通过本章的学习，熟练掌握信息法的含义及在法律体系中的地位，理解信息法与相关部门法的关系，掌握信息法律关系的概念，了解其主体、客体和内容，了解信息法律与信息政策的异同，掌握信息立法的基本原则，了解信息立法的含义及信息体系建构。

二、课程内容

（一）信息法的含义及在法律体系中的地位

1. 信息法的含义

2. 信息法的地位

（二）信息法与相关部门法的关系

（三）信息法律关系

1. 信息法律关系的概念

2. 信息法律法律关系的主体

3. 信息法律关系的客体

4. 信息法律关系的内容

（四）信息法律与信息政策的比较

1. 信息政策的含义

2. 信息法律与信息政策的区别与联系

（五）信息立法

1. 信息立法的含义

2. 信息立法的基本原则

3. 信息立法体系的建设

三、考核知识点

（一）信息法的含义
（二）信息法的地位
（三）信息法与相关部门法的关系
（四）信息法律关系的概念

四、考核要求

（一）信息法的含义
1. 识记：信息法的含义
2. 应用：信息法作为独立部门法的原因
3. 理解：信息法与相关部门法的关系
（二）信息法律关系
1. 识记：信息法律关系的概念
2. 理解：信息法律关系的主体、客体和内容
（三）信息立法
1. 识记：狭义和广义的信息立法的含义
2. 识记：信息立法的基本原则

第三章　国家信息安全法律规范

一、学习目的和要求

通过本章的学习，熟练掌握国家秘密的概念，了解国家秘密的范围，识记国家秘密的密级及保密期限，了解国家秘密泄密的途径和危害性，识记侵犯国家秘密的七种基本犯罪类型，掌握《中华人民共和国保守国家秘密法》对国家秘密的保护，了解我国保守国家秘密的其他法律法规。

二、课程内容

（一）国家秘密概述
1. 构成国家秘密的要素

2. 国家秘密的范围

3. 国家秘密的密级及保密期限

4. 国家秘密的泄密途径和危害性

（二）侵犯国家秘密的基本犯罪类型

1. 非法获取国家秘密罪

2. 非法持有国家秘密罪

3. 泄露国家秘密罪

4. 向境外非法提供国家秘密罪

5. 非法获取军事秘密罪

6. 泄露国家军事秘密罪

7. 为境外非法提供军事秘密罪

（三）我国保守国家秘密的相关法律法规

1. 概述

2.《中华人民共和国宪法》对国家秘密的保护

3.《中华人民共和国保守国家秘密法》对国家秘密的保护

4.《中华人民共和国刑法》对国家秘密的保护

5.《中华人民共和国国家安全法》对国家秘密的保护

6.《中华人民共和国档案法》和《科学技术档案工作条例》对国家秘密的保护

7.《科学技术保密规定》对国家秘密的保护

8. 新闻出版法律法规对国家秘密的保护

9.《计算机信息系统保密管理暂行规定》和《计算机信息系统国际联网保密管理规定》对国家秘密的保护

10. 我国其他法律法规对国家秘密的保护制度

三、考核知识点

（一）国家秘密的概念

（二）国家秘密的密级及保密期限

（三）侵犯国家秘密的基本犯罪类型

（四）《中华人民共和国保守国家秘密法》的主要内容、特点、保护对象和保护制度

四、考核要求

（一）国家秘密概述

1. 识记：国家秘密的概念

2. 识记：国家秘密的密级及保密期限

（二）侵犯国家秘密的基本犯罪类型

应用：侵犯国家秘密的七种基本犯罪类型的罪名

（三）我国保守国家秘密的相关法律法规

识记：《中华人民共和国保守国家秘密法》的主要内容、保护对象、保护等级和特点

第四章　个人信息安全法律规范

一、学习目的和要求

通过本章的学习，掌握信息社会存在着的两种相互矛盾的要求，掌握隐私的概念、隐私权的核心内容，掌握常见的侵害隐私权的行为以及现实中可以公开他人隐私权的两种情况，了解个人信息保护的意义、方式和原则，了解国外隐私法律保护的现状，了解网络隐私权的保护，了解我国对个人信息的法律保护。

二、课程内容

（一）概述

1. 个人信息概念辨析

2. 个人信息保护的意义

3. 个人信息保护的方式

4. 个人信息保护的原则

（二）个人信息的法律保护

1. 国外隐私法律保护的现状

2. 网络隐私权的保护

3. 我国对个人信息的法律保护

三、考核知识点

（一）信息社会存在的两种相互矛盾的要求
（二）隐私的概念
（三）隐私权的核心内容
（四）常见的侵害隐私权的行为
（五）现实中可以公开他人隐私的两种情况
（六）世界上最早通过法律方式保护隐私权的国家

四、考核要求

（一）个人信息概念辨析
1. 识记：信息社会存在着的两种相互矛盾的要求
2. 识记：隐私的概念
3. 识记：隐私权的核心
4. 理解：常见的侵害隐私权的行为
5. 理解：现实中可以公开他人隐私权的两种情况
（二）个人信息的法律保护
识记：网络隐私权的保护

第五章 信息公开制度

一、学习目的和要求

通过本章的学习，了解信息公开制度的政治意义和经济意义，了解日本《信息公开法》的主要内容，了解美国、法国、德国、澳大利亚、韩国和中国的信息公开制度的主要内容。

二、课程内容

（一）信息公开制度的目的
1. 政治意义
2. 经济意义

（二）日本《信息公开法》的主要内容

1. 对象机构和对象文件

2. 公开请求权及公开义务

3. 不予公开的信息

4. 公开请求及处理手续

（三）国内外信息公开制度简介

1. 美国

2. 法国

3. 德国

4. 澳大利亚

5. 韩国

6. 中国

三、考核知识点

无。

四、考核要求

本章不做考核要求。

第六章 信息系统安全法律规范

一、学习目的和要求

通过本章的学习，理解信息系统安全的基本概念，识记影响信息系统安全的因素，了解危害信息系统安全的行为，了解保障信息系统安全的目标和任务，了解国外信息系统安全保护的法律规范，了解我国信息系统安全保护的法律规范。

二、课程内容

（一）信息系统安全概述

1. 信息系统安全的基本概念

2. 影响信息系统安全的因素

3. 危害信息系统安全的行为

4. 保障信息系统安全的目标与任务

（二）信息系统安全保护的法律规范

1. 国外信息系统安全保护的法律规范

2. 我国信息系统安全保护的法律规范

三、考核知识点

危害信息系统安全的因素

四、考核要求

（一）信息系统安全概述

理解：信息系统安全的概念

识记：影响信息系统安全的因素

（二）信息系统安全保护的法律规范

识记：我国信息系统安全保护的法律规范

第七章　信息产权与知识产权概述

一、学习目的和要求

通过本章的学习，识记信息产权的相关概念，识记知识产权的概念、范围和特征，识记知识产权法的概念，熟练掌握知识产权制度对社会信息化的影响

二、课程内容

（一）信息产权概述

（二）知识产权概述

1. 知识产权的范围

2. 知识产权的特征

3. 知识产权法的概念

（三）知识产权制度对社会信息化的影响

1. 知识产权制度可以成为激励社会信息产品生产和创新的重要机制

2. 知识产权制度可以保障社会信息产业者资产的实现

3. 知识产权的拥有量可以成为衡量一个单位、一个地区乃至一个国家社会信息化现有水平和持续发展的重要标志

4. 知识产权制度可以规范和调节信息市场的竞争秩序

三、考核知识点

（一）信息产权的相关概念和内容

（二）知识产权的概念和范围

（三）知识产权的特征

（四）知识产权法的概念

（五）知识产权制度对社会信息化的影响

四、考核要求

（一）信息产权概述

1. 理解：信息产业成为知识经济支柱的具体体现

2. 识记：产权的概念

（二）知识产权概述

1. 识记：知识产权的概念和范围

2. 识记：知识产权的特征

3. 识记：知识产权法的概念

（三）知识产权制度对社会信息化的影响

综合运用：知识产权制度对社会信息化的影响

第八章　著作权法律制度

一、学习目的和要求

通过本章的学习，熟练掌握作品的概念和必备的条件，理解受著作权法保护的作品的种类，掌握受著作权法保护的概念和分类，理解著作权当中的人身权利和财产权利的主要内容，掌握著作权的限制理由和限制情况，理解著作权的侵权行为和应承担的法律责任，掌握著作权纠纷的解决途径，熟练掌握著作权的邻接

权的概念和主要内容。

二、课程内容

（一）著作权保护的客体和主体

1. 受著作权法保护的客体条件

2. 受著作权法保护的作品的种类

3. 受著作权法保护的主体

（二）著作权的内容及限制

1. 著作权中的人身权利

2. 著作权中的财产权利

3. 著作权的限制

（三）著作权的法律保护

1. 著作权的侵权行为

2. 著作权侵权行为的法律责任

3. 著作权纠纷的解决

（四）著作权的邻接权

1. 出版者的权利

2. 表演者的权利

3. 录音、录像制作者的权利

4. 广播、电视组织的权利

三、考核知识点

（一）作品的概念和必备的条件

（二）法定作者的条件

（三）著作权继受主体的分类

（四）著作权中人身权的内容

（五）对著作权主体财产权进行限制的理由

（六）著作权限制的情况

（七）著作权纠纷的解决途径

（八）著作权的邻接权的概念和内容

四、考核要求

（一）著作权保护的客体和主体

1. 识记：作品的概念

2. 理解：著作权法保护的作品的必备条件

3. 理解：著作权法意义上的作者的必备条件

4. 识记：著作权的继受主体

（二）著作权的内容及限制

1. 识记：著作权中人身权利的主要内容

2. 理解：著作权中的财产权利

3. 理解：对著作权中的财产权利进行限制的理由

4. 应用：著作权的两种限制情况

（三）著作权的法律保护

识记：著作权纠纷的解决途径

（四）著作权的邻接权

1. 识记：著作权的邻接权的概念

2. 简单应用：著作权与邻接权的区别

3. 识记：著作权的邻接权的主要内容

第九章　工业产权法律制度

一、学习目的和要求

通过本章的学习，识记专利权的相关概念，理解并简单应用专利权客体的种类，理解并简单应用专利权的主体，了解专利的申请与审批，了解专利权的法律保护；识记注册商标的概念，简单应用注册商标的分类，了解商标权的主体，了解商标的注册和使用管理；识记商标权的内容，掌握侵犯商标权罪。

二、课程内容

（一）专利权

1. 专利权的客体

2. 专利权的主体
3. 专利的申请与审批
4. 专利权的法律保护

（二）商标权

1. 商标权的客体
2. 商标权的主体
3. 商标注册
4. 商标的使用管理
5. 商标权及其保护

三、考核知识点

（一）专利权的概念

（二）专利权的客体种类和例外条件

（三）商标权客体的概念

（四）商标注册申请的原则

（五）商标权的内容

（六）侵犯商标权罪

四、考核要求

（一）专利权

1. 识记：专利权的概念
2. 识记：专利权客体的种类
3. 应用：不受专利权法保护的客体种类

（二）商标权

1. 识记：注册商标的概念
2. 理解：商标的分类
3. 理解：侵犯商标权罪

第十章　商业秘密的保护制度

一、学习目的和要求

通过本章的学习，理解商业秘密保护的原因和法律依据，掌握商业秘密保护的范围，掌握商业秘密的概念和构成条件，了解商业秘密与国家秘密、商业秘密与专利的比较，理解商业秘密权及其限制，了解商业秘密权的内容，掌握商业秘密权的限制，了解商业秘密的管理，了解法律对商业秘密的保护，熟练掌握竞业避止的主要内容。

二、课程内容

（一）商业秘密保护的法律依据与范围

1. 商业秘密保护的法律依据

2. 商业秘密保护的范围

（二）商业秘密的认定

1. 商业秘密的构成条件

2. 商业秘密与相邻概念的比较

（三）商业秘密权及其限制

1. 商业秘密权的主体

2. 商业秘密权的内容

3. 商业秘密权的限制

（四）商业秘密权的保护与竞业避止

1. 商业秘密的管理

2. 法律对商业秘密的保护

3. 竞业避止

三、考核知识点

（一）商业秘密的概念

（二）商业秘密的范围

（三）商业秘密的法律特征

（四）他人权利对商业秘密的限制
（五）竞业避止的相关内容

四、考核要求

（一）商业秘密保护的法律依据与范围
1. 识记：商业秘密保护的范围
2. 识记：商业秘密的概念
（二）商业秘密的认定
理解：商业秘密的构成条件
（三）商业秘密权及其限制
1. 识记：商业秘密权的主体
2. 应用：他人权利对商业秘密权的限制
（四）商业秘密权的保护与竞业避止
理解：竞业避止

第十一章　计算机软件和半导体芯片的法律保护

一、学习目的和要求

通过本章的学习，了解计算机软件著作权的主体，了解计算机软件著作权的权利及权利限制，了解计算机软件著作权不予保护的对象，掌握计算机软件著作权的取得和保护期限，了解计算机软件著作权的权利保护期限，了解计算机软件著作权侵权行为，了解我国计算机软件保护的最新进展；了解《集成电路布图设计保护条例》的相关内容，了解国内外半导体芯片的法律保护情况。

二、课程内容

（一）计算机软件的著作权保护
1. 计算机软件著作权的主体
2. 计算机软件著作权的权利及限制
3. 计算机软件著作权不予保护的对象
4. 计算机软件著作权的取得和保护期限

5. 计算机软件著作权侵权行为

（二）《集成电路布图设计保护条例》

1. 集成电路布图设计的概念

2. 集成电路布图设计的保护对象

3. 布图设计专有权及其行使

4. 布图设计专有权的取得和保护期限

5. 布图设计专有权侵权行为及其法律责任

（三）国外半导体芯片的法律保护

1. 半导体芯片保护的对象

2. 美国半导体芯片保护的法律制度

3. 其他国家半导体芯片的法律保护

三、考核知识点

（一）软件著作权的主体

（二）软件作品的精神权利

（三）计算机软件著作权的取得和保护期限

四、考核要求

计算机软件的著作权保护

1. 理解：计算机软件著作权的主体

2. 识记：计算机软件作品的精神权利的内容

3. 识记：计算机软件著作权的取得和保护

第十二章　信息技术发展政策

一、学习目的和要求

通过本章的学习，了解信息技术、技术政策、信息技术政策的相关知识，了解美国、日本、印度的主要信息技术政策，了解我国信息技术政策的概述，了解我国的“863”计划，了解我国信息技术政策的主要内容。

二、课程内容

（一）信息技术政策概述

1. 信息技术

2. 技术政策

3. 信息技术政策

（二）国外信息技术政策简介

1. 美国

2. 日本

3. 印度

（三）我国信息技术政策

1. 能源

2. "863"计划

3.《国家中长期科学技术发展纲领》和《国家中长期科学技术发展纲要》

4.《全国科技发展"九五"计划和2010年远景目标纲要》

5.《当前优先发展的高技术产业化重点领域指南》

6.《鼓励软件产业和集成电路产业发展的若干政策》

7. 未来发展

三、考核知识点

无。

四、考核要求

本章不做考核要求。

第十三章　信息技术标准化法规

一、学习目的和要求

通过本章的学习，了解信息技术标准化的概述，了解国内外信息技术标准化现状，了解信息技术标准化涉及的范围，了解信息技术标准的制定与实施，了解信息技术标准择要简介，了解违反信息技术标准的法律责任，了解信息技术标准化展望。

二、课程内容

（一）信息技术标准化概述

1. 信息技术标准化的概念
2. 信息技术标准化的作用
3. 信息技术标准化的原则

（二）国内外信息技术标准化现状

1. 国外信息技术标准化的现状
2. 国内信息技术标准化的现状

（三）信息技术标准化涉及的范围

1. 信息技术术语标准化
2. 信息表示标准化
3. 汉字信息处理技术标准化
4. 媒体标准化
5. 软件工程标准化
6. 数据库标准化
7. 网络通信标准化
8. 电子数据交换标准化
9. 办公自动化标准化
10. 电子卡标准化
11. 家庭信息化系统标准化
12. 信息系统硬件标准化
13. 计算机集成化制造系统标准化
14. 信息系统安全与保密标准化

（四）信息技术标准的制定与实施

1. 信息技术标准的制定
2. 信息技术标准的实施

（五）信息技术标准择要简介

1. 影像信息处理——MPEG 标准

2. 电子商务

3. 中文信息处理

（六）违反信息技术标准的法律责任

1. 违反信息技术标准的行为

2. 对违反信息技术标准行为的处罚

（七）信息技术标准化展望

三、考核知识点

（一）信息技术标准化的概念

（二）信息技术标准化的国际组织

（三）国内信息技术标化的现状

（四）国内在信息技术标准化工作中目前存在的比较突出的问题

（五）信息技术标准的实施标准

（六）我国信息技术标准化的展望

四、考核要求

（一）信息技术标准化概述

识记：信息技术标准化的概念

（二）国内外信息技术标准化现状

1. 识记：信息技术标准化的国际组织

2. 理解：国内信息技术标准化的现状

3. 应用：国内在信息技术标准化工作中目前存在的比较突出的问题

（三）信息技术标准的制定与实施

识记：信息技术标准的实施标准

（四）信息技术标准化展望

应用：对我国信息技术标准化的展望

第十四章　公共信息服务法律法规

一、学习目的和要求

通过本章的学习，了解图书馆信息服务的法律渊源及地位，了解国内外图书馆法规的主要内容，理解我国图书馆法的立法依据和法律核心问题，了解档案馆信息服务法律规范的概述和相关内容，识记统计信息服务与信息权的概念，了解统计机构职责和相关内容，了解地震、疫情和灾害性气象信息服务的主要内容。

二、课程内容

（一）图书馆信息服务的法律规范

1. 图书馆信息服务的法律渊源及地位
2. 国外图书馆立法的内容
3. 我国现行图书馆法规的主要内容
4. 我国图书馆法的立法依据和法律核心问题

（二）档案馆信息服务的法律规范

1. 概述
2. 我国现行档案法的相关法律规定

（三）统计信息服务的法律规范

1. 统计信息服务与信息权
2. 统计机构职责和相关义务
3. 关于统计资料的管理和公布的规定
4. 关于侵犯统计系信息权的法律责任

（四）有关灾情信息服务的法律规范

1. 地震信息服务的法律规范
2. 疫情信息服务的法律规范
3. 灾害性气象信息服务的法律规范

三、考核知识点

（一）图书馆信息服务的法律渊源及地位
（二）国外图书馆立法的内容
（三）我国现行图书馆法规的主要内容
（四）我国图书馆法的立法依据和法律核心问题
（五）地震信息服务的法律规范
（六）疫情信息服务的法律规范

四、考核要求

（一）图书馆信息服务的法律法规
1. 识记：世界上第一部图书馆法和我国第一部图书馆法
2. 综合应用：我国图书馆法的立法依据和主要内容
3. 识记：我国图书馆法的立法依据
（二）灾情信息服务的法律规范
1. 识记：地震预报的分类
2. 识记：灾情信息和灾情信息权的概念
3. 综合应用：我国有关灾情信息报告和公布的规定

第十五章　经济信息活动法律规范

一、学习目的和要求

通过本章的学习，了解公司在设立过程中，在股票、债券发行过程中，在变更过程中的信息权利保护；了解公司在财务、会计方面的信息权利保护；了解公司及相关机关与组织机构在保护信息权利方面的责任；识记信息偏在、消费者获取信息权的概念，熟练掌握消费者获取信息的权利及经营者在保护消费者获取信息权利方面的义务，了解信息公开制度建立原因，理解信息公开制度的基本原则，了解信息公开制度的主要内容和相关其他法律规定。

二、课程内容

（一）企业信息权利的法律保护

1. 公司在设立过程中的信息权利保护
2. 公司在股票、债券发行过程中的信息权利保护
3. 公司在财务、会计方面的信息权利保护
4. 公司在变更过程中的信息权利保护

（二）相关机关与组织机构在保护信息权利方面的责任

（三）消费者获取信息权利的法律保护

1. 消费者获取信息的权利
2. 经营者在保护消费者获取信息权利方面的义务
3. 侵犯消费者获取信息权利的法律责任

（四）证券市场信息公开制度

1. 信息公开制度建立的原因
2. 信息公开制度的基本原则
3. 信息公开制度的主要内容
4. 与信息公开相关的其他法律规定

三、考核知识点

（一）信息偏在的概念

（二）消费者获取信息权的概念

（三）消费者获取信息权利的内容

（四）经营者在保护消费者获取信息权利方面的义务

（五）信息公开制度的基本原则

四、考核要求

（一）消费者获取信息权利的法律保护

1. 识记：信息偏在和消费者获取信息权的概念
2. 应用：消费者获取信息权利的内容
3. 应用：经营者在保护消费者获取信息权利方面的义务

（二）证券市场信息公开制度

识记：信息公开制度的基本原则

第十六章　新闻出版法律规范

一、学习目的和要求

通过本章的学习，了解报纸、广播电台、电视台信息服务的法律规范，了解图书、期刊、音像制品和电子出版物的相关管理规定

二、课程内容

（一）新闻业信息服务的法律规范

1. 报纸信息服务的法律规范

2. 广播电台信息服务的法律规范

3. 电视台信息服务的法律规范

（二）出版业信息服务的法律规范

1. 图书出版的法律规范

2. 期刊出版的法律规范

3. 音像制品管理法规

4. 电子出版物管理规定

三、考核知识点

无。

四、考核要求

本章不做考核要求。

第十七章　邮政电信法律规范

一、学习目的和要求

通过本章的学习，了解国内外的邮政、电信法律规范的主要内容。

二、课程内容

（一）邮政法律规范

1. 国外邮政法律规范

2. 我国邮政法律规范

（二）电信法律规范

1. 国外电信法律规范

2. 我国电信法制建设

三、考核知识点

无。

四、考核要求

本章不做考核要求。

第十八章　信息网络建设法律规范

一、学习目的和要求

通过本章的学习，识记国家信息基础设施的概念和基本层面，理解我国国家信息基础设施建设的必要性，了解我国国家信息基础设施建设的基本方针，了解计算机信息网络国际联网管理的法律规定。

二、课程内容

（一）国家信息基础设施建设的基本方针

1. 国家信息基础设施建设的基本概念

2. 我国国家信息基础设施建设的必要性

3. 我国国家信息基础设施建设的基本方针

（二）计算机信息网络国际联网管理的法律规定

1. 计算机信息网络国际联网的主管部门

2. 计算机信息网络国际联网的准入规定

3. 法律责任

三、考核知识点

（一）国家信息基础设施建设的概念

（二）国家信息基础设施的基本结构

（三）计算机信息网络国际联网的主管部门

四、考核要求

（一）国家信息基础设施建设的基本方针

1. 识记：国家信息基础设施的概念

2. 识记：国家信息基础设施的核心

3. 识记：国家信息基础设施的基本构成

（二）计算机信息网络国际联网管理的法律规定

识记：计算机信息网络国际联网的主管部门

第十九章　信息网络经营管理法律规范

一、学习目的和要求

通过本章的学习，理解域名的商业价值，识记我国互联网络域名的体系结构，了解域名的申请和域名保护的法律规范，识记互联网服务提供商（ISP）的服务方式及内容，了解 ISP 的法律责任与消费者的权益保护，理解电子公共牌系统

（BBS）的法律管制对象，了解 BBS 信息发布者和传播者的法律责任，理解 BBS 立法管制的探讨，了解网络有害信息的防范，了解网站从事登载新闻业务的管理。

二、课程内容

（一）域名管理体制

1. 域名的商业价值
2. 我国互联网络域名体系结构
3. 域名的申请
4. 域名保护的法律规范

（二）ISP 的法律规范

1. ISP 的服务方式及内容
2. ISP 的法律责任与消费者权益的保护

（三）BBS 的法律管制

1. BBS 法律管制的对象
2. BBS 信息发布者和传播者的法律责任
3. 对 BBS 立法管制的探讨

（四）网络有害信息的防范

1. 网络有害信息的主要表现
2. 国外对网络有害信息的法律规范
3. 我国对网络有害信息的法律规范

（五）网站从事登载新闻业务的管理

1. 登载新闻业务的主管部门
2. 新闻网站的建立
3. 新闻的登载
4. 法律责任

三、考核知识点

（一）我国互联网的域名体系结构

（二）ISP 的服务方式

（三）BBS 的法律管制对象

（四）登载新闻业务的主管部门

四、考核要求

（一）域名管理体制

1. 理解：域名的商业价值

2. 识记：我国互联网络域名体系机构

（二）ISP 的法律规范

理解：ISP 的服务方式及内容

（三）BBS 的法律管制

1. 理解：BBS 法律管制的对象

2. 综合应用：BBS 信息发布者和传播者的法律责任

3. 综合应用：对 BBS 立法管制的探讨

（四）网络有害信息的防范

识记：网络有害信息的分类

（五）网站从事登载新闻业务的管理

识记：登载新闻业务的主管部门

第二十章　网络环境下的知识产权保护

一、学习目的和要求

通过本章的学习，深刻理解计算机信息网络对知识产权制度的影响，识记数字化作品的概念，了解数字化作品的知识产权保护，识记数字式作品中可受知识产权保护的主要对象，了解计算机软件法律保护的新发展，了解数据库和多媒体的知识产权保护，了解网络传输与复制权以及发行权、出租权、传播权的相关内容，了解网络传输中的“权利重合”。

二、课程内容

（一）计算机信息网络对知识产权制度的影响

1. 网络技术的发展可以促进知识产权制度地位的提高

2. 网络技术的发展可以促进知识产权权利主体的多元化和系统化

3. 计算机信息网络的发展促使现有知识产权制度的自身变革和发展

4. 计算机网络技术的进一步发展可以促进知识产权制度的国际化和趋同化

（二）数字作品的知识产权保护概述

1. 数字作品概述

2. 数字化作品的知识产权保护

3. 数字化作品中可受知识产权保护的主要对象

（三）计算机软件法律保护的新发展

1. 数据库与多媒体的知识产权保护

2. 数据库的知识产权保护

3. 多媒体的知识产权保护

（四）网络传输的著作权问题

1. 网络传输与复制权

2. 网络传输与发行权

3. 网络传输与出租权

4. 网络传输与传播权

5. 网络传输中的“权利重合”

三、考核知识点

（一）计算机信息网络对知识产权制度的影响

（二）数字作品的概念

四、考核要求

（一）计算机信息网络对知识产权制度的影响

综合应用：计算机信息网络对知识产权制度的影响

（二）数字作品的知识产权保护

识记：数字作品的概念

第二十一章　电子商务活动法律规范

一、学习目的和要求

通过本章的学习，熟练掌握电子商务交易中买卖双方当事人的权利和义务，识记网络交易中心的法律地位，识记网络交易客户与虚拟银行间的法律关系，理解认证机构在电子商务中的法律地位，了解电子商务信息流转的法律问题，熟练掌握电子商务合同与传统合同的区别，理解书面的概念问题，理解电子签名问题，理解电子合同的收到与合同成立地点，了解电子证据是科技发展的产物，识记电子证据的特点，理解电子证据的法律效力，理解电子证据实际运用应注意的问题。

二、课程内容

（一）电子商务参与各方的法律关系

1. 电子商务交易中买卖双方当事人的权利和义务
2. 网络交易中心的法律地位
3. 网络交易客户与虚拟银行间的法律关系
4. 认证机构在电子商务中的法律地位
5. 电子商务信息流转的法律问题
6. 电子商务信息市场的法律规范

（二）网络广告的法律规范

1. 电子商务合同与电子签名的法律问题
2. 电子商务合同与传统合同的区别
3. 书面的概念问题
4. 电子签名问题
5. 电子合同的收到与合同成立地点

（三）电子商务交易中的信息证据问题

1. 电子证据是科技发展的产物
2. 电子证据的特点
3. 电子证据的法律效力
4. 电子证据实际运用应注意的问题

三、考核知识点

（一）电子商务交易中买卖双方当事人的权利和义务

（二）网络交易中心的法律地位

（三）网络交易客户与虚拟银行间的法律关系

（四）认证机构在电子商务中的法律地位

（五）电子商务合同与传统合同的区别

（六）电子证据的法律效力

（七）电子证据实际运用应注意的问题

四、考核要求

（一）电子商务参与各方的法律关系

1. 应用：电子商务交易中买卖双方当事人的权利和义务

2. 识记：网络交易中心的法律地位

3. 识记：网络交易客户与虚拟银行间的法律关系

4. 识记：认证机构在电子商务中的法律地位

（二）电子商务合同与电子签名的法律问题

1. 应用：电子商务合同与传统合同的区别

2. 理解：电子签名的问题

3. 理解：电子合同的收到与合同成立地点

（三）电子商务交易中的信息证据问题

1. 识记：电子证据的特点

2. 理解：电子证据实际运用应注意的问题

第二十二章　计算机犯罪

一、学习目的和要求

通过本章的学习，熟练掌握计算机犯罪的发展趋势、计算机犯罪的社会危害性、计算机犯罪产生的社会条件、计算机犯罪急剧增加的原因，理解计算机犯罪的狭义和广义定义，识记计算机犯罪的折衷的定义，简单应用计算机犯罪的特点，识记计算机犯罪的类型及处罚。

二、课程内容

（一）计算机犯罪概述

1. 计算机犯罪的发展趋势

2. 计算机犯罪的社会危害性

3. 计算机犯罪产生的社会条件
4. 计算机犯罪急剧增加的原因
（二）计算机犯罪的定义与特点
1. 计算机犯罪的定义
2. 计算机犯罪的特点
（三）计算机犯罪的类型及处罚
1. 非法侵入计算机信息系统罪
2. 破坏计算机信息系统功能罪
3. 破坏计算机信息系统数据、应用程序罪
4. 制作、传播计算机破坏性程序罪
5. 以计算机为犯罪工具实施的其他犯罪

三、考核知识点

（一）计算机犯罪的发展趋势
（二）计算机犯罪的社会危害性
（三）计算机犯罪产生的社会条件
（四）计算机犯罪急剧增加的原因
（五）计算机犯罪的折衷的定义
（六）计算机犯罪的特点
（七）计算机犯罪的类型及处罚

四、考核要求

（一）计算机犯罪概述
1. 理解：计算机犯罪的发展趋势
2. 应用：计算机犯罪的社会危害性
3. 应用：计算机犯罪产生的社会条件
4. 应用：计算机犯罪急剧增加的原因
（二）计算机犯罪的定义与特点
1. 识记：计算机犯罪的折衷的定义
2. 识记：计算机犯罪的特点

（三）计算机犯罪的类型及处罚

1. 识记：计算机犯罪的总的类型

2. 识记：计算机犯罪的各种罪名

Ⅲ　有关说明与实施要求

一、关于课程内容与考试目标中有关提法的说明

（一）考试大纲与指定教材的关系

本考试大纲是进行学习和考核的依据，指定教材是考试大纲所规定的课程内容的具体化，是学习掌握本门课程知识的基本内容和范围。本课程考试采用由高等教育出版社出版，朱庆华主编的《信息法教程》作为正式的教材。关于教材与主要参考书将在下文专门说明。

（二）关于考核目标的说明

为了使考试内容具体化和考试要求标准化，考试大纲在列出课程内容的基础上，对各章都规定了考核目标，包括考核知识点和考核要求，这是学习和掌握本门课程的考核内容和范围，以便明确考核目标，使考生进一步明确考试的内容和要求，更有目的地进行系统学习；使考试命题者更加明确命题范围和要求，更准确地安排试题的知识能力层次和难度。

考试大纲在考核目标中，按照识记、理解、应用和综合应用四个层次规定应达到的能力层次要求。四个能力层次要求是递进关系。各能力层次的含义如下：

识记：要求考生能知道本课程中有关的名词、概念、知识的含义，并能正确认识和表达。

理解：要求考生在识记的基础上，能全面把握本课程中的基本概念、基本原理、基本方法，能掌握有关概念、原理、方法的区别和联系。

应用：要求考生在领会的基础上，能应用本课程的基本概念、基本原理、基本方法去分析和解决有关理论和实际问题。

综合应用：在应用的基础上，能用学过的多个知识点，综合分析和解决较复杂的问题。

二、关于自学教材和主要参考书

本课程使用的自学教材为《信息法教程》（朱庆华主编，高等教育出版社出版）。

主要参考书为《计算机与网络法》（杨坚争等主编，华东理工大学出版社出版）。

三、自学方法的指导

本课程涉及的其他课程知识比较多，如法律基础知识和计算机知识应该作为本课程的前修课程，但是由于本课程不是作为法学专业的专业课程来开设的，因此不要求学生综合应用教材知识，达到理解教材的内容即可。

本课程是一门文科课程，要求识记和在理解的基础上识记的内容很多，但本课程并不要求学生死记硬背，希望学生在学习的过程当中，将学到的理论知识用于实践，通过实践来加深记忆，达到理论指导实践，实践反作用于理论的效果。最后需要学生能够摆脱书本，结合实际生活来分析现实中的信息法问题。

在本课程中涉及很多需要识记的内容，但并不要求学生事无巨细地把整本书都背下来，希望学生能够分清主次和详略，突出重点，教材的主要目的是帮助计算机专业的学生普及法律知识。

由于作者思路不同、叙述详略不同、举例不同，同时阅读几本同类题材的书是进行学习较好的方法，这样可以开拓思路、加深理解，对难点的理解更有效。

四、对社会助学者的要求

第一，社会助学者应根据大纲规定的课程内容和考核目标，认真钻研指定教材，明确本门课程与其他课程不同的特点和学习要求，对考生进行切实有效的辅导，引导他们避免自学中的各种偏向，把握好社会助学的正确方向。

第二，社会助学者应以教材为本，由于考试内容是全面的，覆盖面至全书各章，因此应辅导考生全面系统地学习教材，掌握全部考试内容及考试知识点，切勿划范围、挑重点，或引导考生猜题、押题。

第三，辅导考生准确地掌握教材中的基本概念，这是构成本门学科体系的基石，是理解本门学科的知识、原理、法规法条的重要条件。在此基础上社会助学者应辅导按照教材中的不同层次和内在联系，了解和掌握本门学科的知识体系，弄清、弄懂信息部门法当中的重要的法规法条。

第四，正确处理学习知识和提高能力的关系，努力引导考生将所学知识与生活实际联系起来，对照比较、分析研究，把所学知识和理论转化为能力，在全面辅导基础上，培养和提高自学考生分析问题和解决问题的能力。

五、关于考试命题的若干规定

第一，本课程的考试命题，应根据大纲规定的课程内容和考试目标来确定考试范围和考核要求，不要任意扩大或缩小考试范围，提高或者降低考核要求。考试命题要尽量覆盖到各章，并适当突出重点章节，加大重点章节的覆盖密度，体现本课程的重点内容。

第二，由于本课程的特点和前述提到的学生基础的问题，本课程在试卷中对不同层次要求的分数比例一般是："识记"占30%，"理解"占40%，"应用"占30%，不要求学生综合应用。

第三，试题要合理安排难度结构。试题难易程度可分为易、较易、较难、难四个等级。每份试卷中，不同难易度试题的分析比例一般为：易占20%，较易占30%，较难占30%，难占20%。必须注意，试题的难易度与能力层次不是一个概念，在各能力层次中都会存在不同难度的问题，切勿混淆。

第四，本课程考试试卷采用的题型一般有单项选择题、多项选择题、填空题、判断改错题、简答题、应用题。

（本大纲由西南科技大学廖海燕讲师编写，并经西南科技大学高等教育自学考试委员会公布）

第二部分
练习题

一、单项选择题

1. 众所周知，物质、能源和（　　）被称为现代社会的三大支柱。

A. 财产　　B. 智力成果

C. 电气化　　D. 信息

2. 在农业社会中，财产权的本质特征是（　　）。

A. 物　　B. 能量转化生产物质

C. 占有　　D. 拥有农业生产技术

3. 经济法作为一个新的法律部门是出现于（　　）。

A. 第一次世界大战期间　　B. 第二次世界大战期间

C. 第一次世界大战结束后　　D. 第二次世界大战结束后

4. 信息法与宪法的关系是（　　）。

A. 部门法与部门法之间的关系　　B. 普通法与根本法之间的关系

C. 实体法与程序法之间的关系　　D. 国际法与国内法之间的关系

5. 现代社会的信息法制建设一般被认为是与电子化相联系的，兴起于（　　）世纪，主要是由北美与欧洲的发达国家进行的。

A. 17　　B. 18　　C. 19　　D. 20

6. 信息法制建设一般可以通过法律等（　　）个层次来实现。

A. 二　　B. 三　　C. 四　　D. 五

7.（　　）是世界上最大的信息资源拥有国，它既是互联网的发源地，又是互联网的最大用户。

A. 英国　　B. 法国

C. 中国　　D. 美国

8. 软件著作权保护的是（　　）。

A. 算法　　B. 计算机程序

C. 程序源代码　　D. 计算机程序和有关文档

9. 信息法在我国的法律体系中处于（　　）的地位。

A. 民法的一个分支　　B. 独立的部门法

C. 刑法的一个分支　　D. 经济法的一个分支

10. 1997 年 6 月 13 日，德国联邦议院通过了世界上第一部全面调整信息时代新型通信媒体互联网的法律，人们称之为（　　）。

A. 远程服务法　　B. 电信法

C. 多媒体法　　D. 数据保护法

11. 认定商业秘密的最基本条件是该技术信息或经营信息必须具有（　　）。

A. 秘密性　　B. 价值性

C. 实用性　　D. 保密性

12. 我国于（　　）年 12 月，在原国务院信息化办公室的基础上成立了国家信息化工作领导小组。

A. 1979　　B. 1989　　C. 1999　　D. 2001

13.（　　）年，全国人大代表、北京化工集团的罗益锋高级工程师在九届人大二次会议上大声疾呼，建议全国人大制定“信息法”。

A. 1997　　B. 1998

C. 1999　　D. 2000

14. 信息法与国际法的关系是（　　）。

A. 普通法与根本法的关系　　B. 部门法与部门法的关系

C. 国内法与国际法的关系　　D. 实体法与程序法的关系

15. 信息法与诉讼法的关系是（　　）。

A. 普通法与根本法的关系　　B. 部门法与部门法的关系

C. 国内法与国际法的关系　　D. 实体法与程序法的关系

16. 信息法学极为关注的问题主要是（　　）。

A. 信息法的地位　　B. 信息法调整的对象

C. 信息法的应用　　D. 信息法的内容

17. 信息活动中最重要、最基本的信息主体是（　　）。

A. 公民　　B. 法人

C. 国家　　D. 社团组织

18. 信息法律关系的主体的权利和义务共同指向的对象是（　　）。

A. 权利　　B. 义务

C. 信息　　D. 财产

19. 将信息分为自然信息和社会信息的依据是（　　）。

A. 依载体　　B. 依性质

C. 依存在状态和传播方式　　D. 依使用方式

20.《中华人民共和国保守国家秘密法》的最大特点是（　　）。

A. 预防为主　　B. 奖惩分明

C. 重点突出　　D. 严打重打

21.（　　）的《宪法》中规定名誉权和隐私权被作为绝对权力对待。

A. 美国　　B. 英国

C. 加拿大　　D. 德国

22. “商业秘密”作为一个法律名词首次见诸我国法律，是在（　　）中。

A.《中华人民共和国民事诉讼法（试行）》

B.《中华人民共和国刑事诉讼法》

C.《中华人民共和国劳动法》

D.《中华人民共和国消费者权益保护法》

23. 最早的信息立法产生于 17~18 世纪的（　　）。

A. 美洲　　B. 欧洲

C. 亚洲　　D. 非洲

24. 既是信息立法的目的性原则，也是对信息立法进行评价的评价原则是（　　）。

A. 协调原则　　B. 实事求是原则

C. 效益原则　　D. 借鉴原则

25. 1982 年 12 月 4 日，第五届全国人民代表大会通过的《中华人民共和国宪法》首先提出了（　　）的概念，并要求中华人民共和国公民必须保守它。

A. 商业秘密　　B. 国家秘密

C. 隐私权　　D. 秘密

26.《中华人民共和国保守国家秘密法》的保护对象是（　　）。

A. 国家政策　　B. 国家秘密

C. 公民隐私权　　D. 商业秘密

27. 国家保密局发布了《计算机信息系统国际联网保密管理规定》的日期是（　　）。

A. 1997年1月25日　　B. 1998年1月25日

C. 1999年1月25日　　D. 1999年12月29日

28. 世界上最早提出并通过法规对隐私权予以保护的国家是（　　）。

A. 美国　　B. 英国　　C. 加拿大　　D. 中国

29. 1890年，美国著名法学家哈佛大学教授塞缪尔、沃恩和路易丝·D.布兰迪斯（Samuel，Warn & Louis D Brandis）在当年的《哈佛法学评论》第（　　）期上发表论文，正式提出“隐私权”的概念并加以阐述。

A. 1　　B. 2　　C. 3　　D. 4

30. 根据《中华人民共和国刑事诉讼法》的规定，对于（　　）未成年人犯罪的案件一般不公开审理。

A. 14岁以上不满16岁　　B. 16岁以上不满18岁

C. 14周岁　　D. 16周岁

31. 在（　　），“信息公开法”不是通用法律。

A. 法国　　B. 德国

C. 中国　　D. 澳大利亚

32. 一般来说，信息系统安全主要涉及信息在系统中存储和（　　）的安全。

A. 保存　　B. 传输

C. 输入　　D. 输出

33.《世界知识产权组织公约》缔结于1967年7月14日的（　　）外交会议上。

A. 斯德哥尔摩　　B. 华盛顿

C. 北京　　D. 伦敦

34.《中华人民共和国著作权法》第二十一条规定，自然人的著作权中的发表权、使用权和获得报酬权的保护期为作者有生之年及其死亡后（　　）年。

A. 10　　B. 25　　C. 30　　D. 50

35. 不属于解决著作权纠纷的途径是（　　）。

A. 调解　　B. 仲裁

C. 商量　　D. 诉讼

36. 著作权的邻接权实质上指的是（　　）。

A. 出版者的权力　　B. 表演者的权力

C. 录制者的权力　　D. 作品传播者传播作品的权力

37. 根据《中华人民共和国专利法》的规定，两个以上的申请人分别就同样的发明创造申请专利，专利权授予（　　）。

A. 最先发明的人　　B. 最先设计的人

C. 最先申请的人　　D. 最先到达专利局的人

38 对专利进行复审的机构是（　　）。

A. 国家专利局　　B. 专利复审委员会

C. 法院　　D. 地方专利局

39. 根据《中华人民共和国专利法》第四十一条的规定，专利申请人对专利复审委员会的复审决定不服的，可以自收到通知之日起（　　）个月内向人民法院起诉。

A. 3　　B. 6　　C. 12　　D. 18

40. 我国发明专利权的期限自申请日起计算为（　　）年。

A. 10　　B. 15　　C. 20　　D. 30

41. 我国实用新型和外观设计的期限自申请日起计算为（　　）年。

A. 10　　B. 15　　C. 20　　D. 30

42. 我国进行商标注册申请的条件是（　　）。

A. 一件商标一份申请原则　　B. 一件商标多份申请原则

C. 多件商标一份申请原则　　D. 多件商标多份申请原则

43. 将商标分为文字商标、图形商标、记号商标、组合商标、立体商标、非形象商标的依据是（　　）。

A. 商标的结构　　B. 商标的用途

C. 商标使用者　　D. 商标的内容

44. 商标权中最重要的权利是（　　）。

A. 商标专用权　　B. 商标许可使用权

C. 商标续展权　　D. 商标转让权

45. 以下不属于《中华人民共和国刑法》中规定的侵犯商标权罪的是（　　）。

A. 假冒注册商标罪

B. 销售假冒注册商标罪

C. 运输假冒注册商标罪

D. 非法制造、销售他人注册商标标识罪

46. 根据《中华人民共和国刑法》第二百一十四条的规定，销售明知是假冒注册商标的商品，销售金额数额巨大的，处（　　）有期徒刑，并处罚金。

A. 3年以下　　B. 3年以上7年以下

C. 10年以下　　D. 10年以上15年以下

47. 商业秘密的法律特征中，作为商业秘密侵权赔偿重要前提的是（　　）。

A. 秘密性　　B. 价值性

C. 实用性　　D. 保密性

48. 我国经济生活领域中的基本单位是（　　）。

A. 公民　　B. 法人

C. 社团组织　　D. 政府

49. 竞业避止的表现形式是（　　）。

A. 竞业避止合同　　B. 竞业避止协议

C. 竞业避止书面承诺　　D. 竞业避止口头承诺

50. 信息法的核心是（　　）。

A. 确保信息的合理使用　　B. 信息法律主体的权利

C. 信息法律主体的义务　　D. 信息法律主体的权利与义务

51. 知识产权作为一种无形财产权利，其术语产生于18世纪的（　　）。

A. 美国　　B. 德国

C. 英国　　D. 法国

52. 以下属于发明创造的智力成果的是（　　）。

A. 计算机软件　　B. 科学发现

C. 游戏规则　　D. 疾病的诊断和治疗方法

53. 我国发明专利权的期限为（　　）年。

A. 10年　　B. 15年

C. 20年　　D. 25年

54.《中华人民共和国商标法》的核心是保护（　　）。

A. 商标转让权　　B. 商标续展权

C. 商标许可使用权　　D. 商标专用权

55.《中华人民共和国商标法》规定，自核准注册之日起计算，注册商标的有效期为（　　）年。

A. 5　　B. 10

C. 15　　　　D. 20

56.《中华人民共和国著作权法》规定，公民作品的发表权和财产权的保护期为（　　）。

A. 作者终身及其死亡后25年，截止于作者死亡后第25年的12月31日

B. 作者终身及其死亡后25年，截止于作者死亡后第25年的1月1日

C. 作者终身及其死亡后50年，截止于作者死亡后第50年的12月31日

D. 作者终身及其死亡后50年，截止于作者死亡后第25年的1月1日

57. 解决著作权纠纷最权威、最有效的方式为（　　）。

A. 调解　　　　B. 仲裁

C. 销毁　　　　D. 诉讼

58.《计算机软件保护条例》第十五条规定，软件著作权的保护期为（　　）年。

A. 15　　B. 25　　C. 30　　D. 50

59. 布图设计专有权的保护期限为10年，无论是否登记的布图设计，自创作完成之日起（　　）年后，不再受《集成电路布图设计保护条例》保护。

A. 10　　B. 15　　C. 20　　D. 25

60. 职务开发软件的著作权归（　　）。

A. 软件开发者享有　　　　B. 软件开发者所在单位享有

C. 软件开发者和单位共同享有　　　　D. 国家享有

61. 根据美国《半导体芯片保护法》的规定，对掩膜作品的保护期限，从保护生产开始，为期（　　）年。

A. 10　　B. 15　　C. 20　　D. 25

62. “不限制专利人自己实施，也不排除专版权人在同样条件下与其他人签订专利实施许可合同的”是（　　）。

A. 普通许可合同　　　　B. 独家许可合同

C. 独占许可合同　　　　D. 分许可合同

63. 信息立法体系指的是（　　）。

A. 信息法的外在形式结构　　　　B. 信息法的内在逻辑结构

C. 信息法的法律效力　　　　D. 信息法的组成部分

64.《中华人民共和国标准化法》规定，（　　）以上人民政府标准化行政主管部门可根据需要设置检验机构。

A. 乡镇级　　B. 县级

C. 市级　　D. 省级

65.《中华人民共和国国家标准管理办法》规定，国家标准实施（　　）年进行复审。

A. 5　　B. 10　　C. 15　　D. 20

66. 在信息技术标准的实施中除采用强制性标准之外还采用（　　）。

A. 自愿性标准　　B. 协商性标准

C. 推荐性标准　　D. 地方性标准

67. 违法信息技术标准的当事人对没收产品、没收违法所得和罚款的处罚不服的，可以在接到处罚通知书（　　）日内，向作出处罚机关的上一级机关申请复议。

A. 5　　B. 10　　C. 15　　D. 20

68. 根据《中华人民共和国标准化法实施条例》的规定，生产不符合强制性标准的产品的，应当责令其停止生产，并没收产品，监督销毁或进行必要的技术处理，对有关责任者处以（　　）。

A. 5 000 元以下罚款　　B. 10 000 元以下罚款

C. 15 000 元以下罚款　　D. 20 000 元以下罚款

69. 根据《中华人民共和国标准化法实施条例》的规定，生产不符合强制性标准的产品的，应当责令其停止生产，并没收产品，监督销毁或进行必要的技术处理，并处以（　　）。

A. 该批产品货值金额 20%~30%的罚款

B. 该批产品货值金额 30%~50%的罚款

C. 该批产品货值金额 20%~50%的罚款

D. 该批产品货值金额 50%~100%的罚款

70.（　　）于 1850 年制定了世界第一部图书馆法，开国际图书馆立法之先河。

A. 美国　　B. 英国

C. 德国　　D. 加拿大

71. 被认为是我国历史上第一部以政府名义颁布的图书馆法的《京师图书馆及各省图书馆通行章程》施行的年份是（　　）。

A. 1910 年　　B. 1957 年

C. 1909 年　　D. 1908 年

72. 我国实施全国组织机构代码标识制度始于（　　）。

A. 1991 年　　B. 1992 年

C. 1993 年　　D. 1998 年

73. 根据我国规定，对于图书馆开放的时间，一般规定每周不少于（　　）小时。

A. 48　　B. 50

C. 56　　D. 60

74. 信息产权的核心是（　　）。

A. 知识产权　　B. 专利权

C. 著作权　　D. 商标权

75. 不属著作权的合理使用情形的是（　　）。

A. 个人使用　　B. 教学使用

C. 新闻报道使用　　D. 电视台改编制作节目使用

76. 商标最基本的功能或作用是（　　）。

A. 认知　　B. 品质保证

C. 广告　　D. 美观

77.《计算机软件保护条例》规定，自然人的软件著作权保护期为（　　）。

A. 自然人终生　　B. 自然人终生及死亡后 20 年

C. 自然人终生及死亡后 50 年　　D. 无限期

78. 最早提出对软件给予专利保护的国家是（　　）。

A. 英国　　B. 美国

C. 德国　　D. 日本

79. 对未来 10 年内可能发生破坏性地震的地域的预报，是（　　）。

A. 地震长期预报　　B. 地震中期预报

C. 地震短期预报　　D. 临震预报

80. 临震预报是指对（　　）日内将发生地震的时间、地点、震级的预报。

A. 1　　B. 5

C. 10　　D. 20

81. 地震长期预报是指对未来（　　）年内可能发生破坏性地震的地域的预报。

A. 5　　B. 10

C. 15　　D. 20

82. 根据《中华人民共和国公司法》的规定，办理公司登记时，虚报注册资本取得公司登记的，可处（　　）。

A. 以虚报注册资本金额5%以下的确罚款

B. 以虚报注册资本金额5%以上10%以下的罚款

C. 以虚报注册资本金额10%以上15%以下的罚款

D. 以虚报注册资本金额20%的罚款

83. 根据《中华人民共和国公司法》的规定，未经批准擅自发行股票或者公司债务，责令停止发行，退还所募资金及利息，处以非法募集资金金额（　　）的罚款。

A. 1%~5%　　B. 2%~5%

C. 5%~10%　　D. 5%~15%

84.《中华人民共和国消费者权益保护法》没有调整到的对象是（　　）。

A. 国家　　B. 经营者

C. 租赁者　　D. 消费者

85. 一般来说，信息系统安全主要包括（　　）。

A. 系统安全和设备安全　　B. 物理安全和逻辑安全

C. 软件安全和硬件安全　　D. 人员安全和设施安全

86. 职务开发软件的著作权归（　　）。

A. 软件开发者享有　　B. 软件开发者所在单位享有

C. 软件开发者和单位共同享有　　D. 国家享有

87. 根据《中华人民共和国消费者权益保护法》的规定，经营者在商品中掺杂、掺假、以假充真、以次充好，或者以不合格商品冒充合格商品的，有违法所得的，可以由工商行政管理部门处以违法所得（　　）的罚款。

A. 1倍　　B. 3倍

C. 1倍以上5倍以下　　D. 3倍以上5倍以下

88. 保护集成电路知识产权的重点在于保护（　　）。

A. 布图设计　　B. 构形

C. 制造工艺　　D. 元器件

89. 根据《中华人民共和国档案法》的规定，中华人民共和国成立以来形成的档案，一般应当（ ）。

A. 自《中华人民共和国档案法》实施之日起向社会开放

B. 自档案发布之日起向社会开放

C. 自形成之日起满 10 年向社会开放

D. 自形成之日起满 30 年向社会开放

90. 对未来 1~2 年内可能发生破坏性地震的地域和强度的预报是（ ）。

A. 地震长期预报　　B. 地震中期预报

C. 地震短期预报　　D. 临震预报

91. “机密级”国家秘密的保密期限一般不超过（ ）年。

A. 10　　B. 20

C. 30　　D. 40

92. 对个人信息的保护，不能采取的方式是（ ）。

A. 技术手段　　B. 打击报复

C. 行业自律　　D. 立法规范

93. 应该将信息法作为一个独立的部门法对待的最主要根据是（ ）。

A. 部门法的划分是相对的　　B. 信息法有着特定的调整对象

C. 信息法建设已取得巨大进展　　D. 信息法的兴起是历史的必然

94. 计算机犯罪最早出现在（ ）。

A. 金融领域　　B. 商业领域

C. 军事领域　　D. 科学领域

95. 根据《中华人民共和国刑法》第二百八十五条的规定，犯非法侵入计算机信息系统罪的，处以（ ）。

A. 3 年有期徒刑或拘役　　B. 5 年有期徒刑或拘役

C. 7 年有期徒刑或拘役　　D. 10 年有期徒刑或拘役

96. 根据《中华人民共和国刑法》第二百八十六条第一款的规定，犯破坏计算机信息系统功能罪的，处（ ）年以下有期徒刑或者拘役。

A. 5　　B. 10

C. 15　　D. 7

97. 对于（ ）的少年黑客高手故意犯罪的情形，只要不是严重危及公共安全的犯罪，不应作犯罪处理。

A. 14~16 周岁　　B. 15~16 周岁

C. 16~17 周岁　　　　　　　　D. 18 周岁以下

98. 根据《中华人民共和国刑法》第二百八十六条第三款的规定，犯制作、传递计算机破坏性程序罪的，后果特别严重的，处（　　）年以上的有期徒刑。

A. 5　　　　B. 6　　　　C. 7　　　　D. 10

99. 美国已陆续制定了千余项信息技术标准、规范和指南，其中有（　　）标准直接采用了国际标准化组织（ISO）标准。

A. 50%　　　　　　　　B. 60%

C. 70%　　　　　　　　D. 80%

100. 我国正式加入国际条码组织，结束了我国商品没有自己条码是在（　　）。

A. 1989 年　　　　　　　　B. 1991 年

C. 1995 年　　　　　　　　D. 1999 年

101. 内容涉及重要的国家秘密，泄露会使国家的安全和利益遭受严重损害是指（　　）。

A. 秘密　　　　　　　　B. 机密

C. 绝密　　　　　　　　D. 保密

102. 下列哪种行为必须向著作权主体支付报酬（　　）。

A. 为个人学习、研究或者欣赏，使用他人已经发表的作品

B. 国家机关为执行公务使用他人已经发表的作品

C. 免费表演已经发表的作品

D. 电台、电视台通过改编、翻译、注释、整理作品制作节目

103. 根据《中华人民共和国专利法》的规定，职务发明创造的专利权属于（　　）。

A. 发明人或设计人

B. 发明人或设计人所属单位

C. 发明人或设计人及其所属单位拥有

D. 既不属于发明人或设计人，也不属于其单位

104. 委托开发的计算机软件，如果委托人与受委托人之间无合同约定或者合同约定不明确的，该计算机软件归属于（　　）。

A. 委托人　　　　　　　　B. 受托人

C. 委托人、受托人共有　　　　D. 当作不明财产由国家享有

105. 商标法的核心是保护（ ）。

A. 商标专有权　B. 注册商标权

C. 商标财产权　D. 制造商标权

106. 在我国，发明专利权的保护期限是（ ）年。

A. 10　B. 15　C. 20　D. 30

107. 信息法中的“信息”指的是（ ）。

A. 一切信息　B. 一切社会信息

C. 一切自然信息　D. 有特定意义和范围的信息

108. 隐私权的核心内容是（ ）。

A. 对自己的隐私依照自己的意志进行支配

B. 隐私权受环境的影响，应有条件地使用

C. 在一定范围内可自由使用

D. 在一定时间内可自由使用

109. 在下列侵犯国家秘密的基本犯罪类型中，犯罪主体为特殊主体的是（ ）。

A. 非法获取国家机密罪　B. 非法持有国家机密罪

C. 泄露国家机密罪　D. 向境外非法提供国家机密罪

110. 对著作权的限制实际上是限制著作权的（ ）。

A. 精神权利　B. 财产权利

C. 所有权利　D. 出版权利

111. 一般来说，布图设计专利权的保护期限为（ ）年。

A. 5　B. 10　C. 15　D. 20

112. 不能作为商业秘密加以保护的是（ ）。

A. 产品加工工艺　B. 客户名单

C. 计算机软件　D. 构思、设计草图

113. 目前世界各国集成电路的保护主要是（ ）。

A. 集成电路的布图设计保护　B. 集成电路的构型保护

C. 集成电路的制造工艺保护　D. 集成电路的外观技术保护

114. 根据《中华人民共和国专利法》的规定，发明专利权、实用新型权力和外观设计专利权的保护期限分别为（ ）。

A. 10 年、10 年、20 年　B. 10 年、20 年、10 年

C. 20年、10年、10年　　D. 20年、20年、10年

115. 根据《中华人民共和国标准化法》的规定，不是信息技术标准等级的是（　　）。

A. 国家标准　　B. 企业标准

C. 地方标准　　D. 自定标准

116. 知识产权法律制度的三大支柱是专利权、商标权和（　　）。

A. 财产权　　B. 公开权

C. 知情权　　D. 著作权

117. 下列关于专利保护的表述，错误的是（　　）。

A. 侵权纠纷涉及新产品制造非法的，被告应提供其产品的制造方法不同于专利方法的证明

B. 未经专利人的许可，制造专利人的产品的行为，是专利侵权行为

C. 对于专利人的许可，专利人只能请求行政管理部门的处理

D. 专利侵权的赔偿数额可以参照专利许可使用费的倍数合理确定

118. 我国真正意义上的政府信息公开法是2007年1月17日国务院通过的（　　）。

A.《中华人民共和国立法法》

B.《中华人民共和国行政许可法》

C.《中华人民共和国行政处罚法》

D.《中华人民共和国政府信息公开条例》

119. 对于“机密级”国家秘密，其保密期限一般不超过（　　）年。

A. 10　　B. 20　　C. 30　　D. 40

120. 世界上最早提出并通过法规对隐私权予以保护的国家是（　　）。

A. 美国　　B. 法国　　C. 德国　　D. 加拿大

121. 下列行为中不属于侵害隐私权的是（　　）。

A. 私拆他人信件　　B. 用望远镜刺探他人行为

C. 偷看他人日记　　D. 医生向病人询问隐私

122. 最早制定图书馆法的国家是（　　）。

A. 中国　　B. 美国　　C. 英国　　D. 法国

123. 信息公开制度的核心是（　　）。

A. 任何人都有权请求公开一切行政机关所拥有的信息，而不论与请求信息

的利害关系或者信息使用目的如何

B. 任何人都有权请求公开部分行政机关所拥有的信息，而不论与请求信息的利害关系或者信息使用目的如何

C. 任何人都有权请求公开一切行政机关所拥有的信息，但需要考虑所请求信息的利害关系或者信息使用目的

D. 只有部分人有权请求公开一切行政机关所拥有的信息，而不论与请求信息的利害关系或者信息使用目的如何

124. 根据我国《国家标准管理办法》的规定，国家标准的有效期一般为（ ）年。

A. 5　　B. 10　　C. 15　　D. 20

125. 我国《计算机软件保护条例》规定（ ）。

A. 软件著作权的保护期为25年，最长不超过50年

B. 软件著作权的保护期为20年，最长不超过50年

C. 软件著作权的保护期为25年，最长不超过30年

D. 软件著作权的保护期为20年，最长不超过30年

126. 专利申请必须采取下列哪种形式来办理（ ）。

A. 书面形式　　B. 口头说明

C. 提交实物　　D. 口头或书面形式

127. 不能获得专利权的是（ ）。

A. 自动化技术处理过程的发明　　B. 测量或测试过程的发明

C. 计算机程序　　D. 数学计算方法

128. 在下列情形中，被视为侵犯专利权的是（ ）。

A. 在科学研究中使用他人专利产品的

B. 用不同方法生产相同的外观设计专利产品

C. 对专利权人出售的专利产品进行分销、零售的

D. 临时通过中国领域的外国船舶，为船舶自身需要，依照其所属国同中国签订的协议，在其装置中使用有关专利产品的

129. 能成为软件著作权的原始主体的只能是（ ）。

A. 软件的创意者　　B. 软件的开发者

C. 软件的销售者　　D. 软件的使用者

130. 在我国各类专利授权中，专利稳定性最好的是（ ）。

A. 发明专利　　B. 实用新型专利

C. 外观设计专利　　D. 视情况而定

131.“纯羊毛标志”是（　　）。

A. 集体商标　　B. 证明商标

C. 商品商标　　D. 数字商标

132. 委托开发软件体现了一种什么样的关系（　　）。

A. 监理关系　　B. 承揽关系

C. 合作关系　　D. 继承关系

133. 信息法律关系的主体分为（　　）。

A. 自然人、法人和外国人　　B. 自然人、国家和个体经营户

C. 自然人、法人和国家　　D. 国家、法人和事业单位

134. 下列关于信息政策与信息法律的论述，错误的是（　　）。

A. 两者在本质上是完全不相同的

B. 信息政策是信息法律的重要基础

C. 信息政策的作用范围比信息法律的作用范围小，信息法律的作用效果比信息政策的作用效果具体和明确

D. 信息法律是保障信息政策得以贯彻和实施的重要法律手段

135. 对于“秘密级”国家秘密，其保密期限一般不超过（　　）年。

A. 10　　B. 20

C. 30　　D. 40

136. 在我国，软件著作权保护期限最长不超过（　　）年。

A. 10　　B. 20

C. 25　　D. 50

137. 软件著作权人的精神权利中最基本的和首要的权利是（　　）。

A. 发表权　　B. 开发者身份权

C. 获得报酬权　　D. 转让权

138.《计算机软件保护条例》规定，自然人的软件著作权保护期为（　　）。

A. 自然人终生　　B. 自然人终生及死亡后 20 年

C. 自然人终生及死亡后 50 年　　D. 无限期

139. 目前对计算机软件最主要的法律保护方式是利用（　　）。

A. 商标法　　B. 专利法

C. 著作权　　D. 商业秘密法

140. 下列哪种行为必须向著作权主体支付报酬（　　）。

A. 为个人学习、研究或者欣赏，使用他人已经发表的作品

B. 国家机关为执行公务使用已发表过的作品

C. 免费表演已经发表的作品

D. 电台、电视台利用改编、翻译、注释、整理作品制作节目

141. 下列哪些人是作品的作者（　　）。

A. 直接参与作品创作的人　　B. 为他人创作进行组织工作的人

C. 为他人创作提供咨询的人　　D. 为他人创作提供物质条件的人

142. 在商业方法专利中，申请量和授权量最多的是（　　）。

A. 网络交易类　　B. 金融类

C. 市场营销类　　D. 管理类

143. 以下不属于个人隐私的保护范围的是（　　）。

A. 私人数据　　B. 私人信息

C. 私人空间　　D. 私人活动

144. 我国负责协调、解决有关国际联网工作中的重大问题的部门是（　　）。

A. 国务院信息工作领导小组　　B. 国家信息局

C. 信息产业部　　D. 国家教育委员会

145. 澳大利亚一项新法案规定，破坏网站的黑客，一经定罪，最高要判入狱（　　）年。

A. 5　　B. 8

C. 10　　D. 15

146. 一般来说，“绝密级”的保护期限，除有特殊规定的外，一般不超过（　　）年。

A. 10　　B. 20

C. 30　　D. 40

147. 法国信息公开制度最大的特点就是对非公开信息决定不服而提出（　　）。

A. 批评　　B. 异议审查

C. 起诉　　D. 申诉

148. 地震短期预报是指对（　　）个月内将要发生地震的地域和强度的预报。

A. 1　　B. 3

C. 5　　D. 6

149. 对于与公民合作的作品，其发表权和财产权保护期限截止于（　　）。

A. 作品首次发表之日起第 50 年的 12 月 30 日

B. 最后死亡的作者死亡后第 50 年的 12 月 31 日

C. 最先死亡的作者死亡后第 50 年的 12 月 31 日

D. 最后死亡的作者死亡后第 50 年的 1 月 1 日

150. 甲的文章大量抄袭了乙发表在杂志上的一篇译文，甲的行为（　　）。

A. 侵犯了乙的著作权利　　B. 侵犯了乙和杂志社的著作权

C. 侵犯了该杂志社的著作权　　D. 侵犯了乙和译文原作者的著作权

151. 下列关于职务作品的表述，不正确的是（　　）。

A. 为完成本单位工作任务而创作的作品是职务作品，其著作权由本单位享有，完成创作的人可以获得奖励

B. 为完成本单位工作任务而创作的作品是职务作品，其著作权由作者享有，单位有权在业务范围内优先使用

C. 主要利用本单位的物质技术条件创作，并由该单位承担责任的工程设计图、产品设计图、地图、计算机软件等职务作品，除作者享有署名权外，著作权的其他权利由法人或者其他组织享有

D. 单位与职工对于职务作品的归属有合同约定的，从其约定

152. 作品的作者必须是（　　）。

A. 直接参与创作的自然人　　B. 为创作进行组织工作的人

C. 为创作提供咨询意见的人　　D. 为创作提供物质条件的人

153. 信息系统安全保护等级分为（　　）。

A. 二级　　B. 三级

C. 四级　　D. 五级

154. 不属于信息传播领域中有害信息的是（　　）。

A. 失实信息　　B. 垃圾信息

C. 广告信息　　D. 过时信息

155. 非法入侵计算机信息系统罪的犯罪客体是（　　）。

A. 社会管理秩序

B. 公共安全

C. 国家对计算机信息系统的管理制度

D. 国家重要的计算机信息系统安全

156. 在美国一系列图书馆法中最早的一部法律是（　　）。

A.《图书馆服务条例》　　B.《图书馆服务和建筑条例》

C.《初等和中等教育法令》　　D.《高等教育法令》

157. 根据《中华人民共和国标准化法》及其实施条例的有关规定，有（　　）种情形需要追究当事人的刑事责任。

A. 2　　B. 3

C. 4　　D. 5

158.《中华人民共和国公司法》第二百零六条规定：违反本法规定，虚报注册资本、提交虚假材料或者采取其他欺诈手段隐瞒重要事实取得公司登记的，由公司登记机关责令改正，对虚报注册资本的公司，处以虚报注册资本金额（　　）。

A. 5%以上 8%以下的罚款　　B. 5%以上 10%以下的罚款

C. 5%以上 15%以下的罚款　　D. 5%以上 20%以下的罚款

159.《中华人民共和国公司法》第二百条规定：公司的发起人、股东在公司成立后，抽逃其出资的，由公司登记机关责令改正，处以抽逃出资金额 5%以上（　　）%以下的罚款。

A. 8　　B. 10　　C. 15　　D. 20

160. 修订后的《中华人民共和国刑法》将计算机犯罪分为两大类（　　）种类型。

A. 3　　B. 4　　C. 5　　D. 6

161. “许可方许可对方在一定范围内使用注册商标，许可方和任何第三方在该范围内均无使用权”的商标许可使用合同是（　　）。

A. 独家许可合同　　B. 独占许可合同

C. 普通许可合同　　D. 分许可合同

162. 以下不属于法律对信息主体的分类的是（　　）。

A. 自然人　　B. 法人

C. 国家　　D. 事业单位

163. 出版物公开又称为（　　）。

A. 书面公开　　B. 使用公开

C. 广播公开　　D. 展览公开

164. 认定商业秘密的最基本条件是该技术信息或经营信息必须具有（　　）。

A. 秘密性　　B. 价值性

C. 实用性　　D. 保密性

165.（　　）时代的一个显著特征是信息产业得到迅猛发展。

A. 蒸汽产业　　B. 电气产业

C. 信息产业　　D. 农业时代

166. 根据《中华人民共和国著作权法》的规定，受著作权保护的客体是（　　）。

A. 财产　　B. 智力成果

C. 作品　　D. 无形财产

167. 信息法的地位通常是指信息法在（　　）中的地位。

A. 法律部门　　B. 法律体系

C. 法律渊源　　D. 法律效力

168. 真皮标志是中国皮革工业协会注册的证明商标，中国皮革工业协会对于该标志（　）。

A. 只能自己使用

B. 既可以在自己提供的商品上使用，也可以许可其他的人使用

C. 不可以自己使用，但可以许可符合条件的企业使用

D. 不可以自己使用，只可以许可给协会会员使用

169. “专利权人允许被许可人在一定时间和范围内独占使用其专利权”的是（　　）。

A. 普通许可合同　　B. 独家许可合同

C. 独占许可合同　　D. 分许可合同

170. 信息社会最基本和最重要的财产形式是（　　）。

A. 土地和矿产　　B. 资源和能源

C. 石油和天然气　　D. 知识和数据

171. 在我国，自申请日起计算，外观设计专利权的期限为（　　）年。

A. 10　　B. 15

C. 20　　D. 30

172. 下列行为中不属于侵害隐私权的是（　　）。

A. 私拆他人信件　　B. 用望远镜刺探他人行动

C. 偷看他人日记　　D. 检举政府官员的腐败问题

173. 下列选项中，不能获得专利权的是（　　）。

A. 电视机遥控器的制造技术　　B. 光纤通信方法

C. 信息技术设备的制造方法　　D. 数学计算方法

174. 信息法制建设一般可以通过三个层次来实现，分别是法律、法规和（　　）。

A. 道德　　B. 纪律

C. 政策　　D. 规定

175. 下列选项中，不属于国家秘密密级种类的是（　　）。

A. 绝密　　B. 保密

C. 机密　　D. 秘密

176. 信息公开制度的建立，是以公民对公共信息享有的（　　）权利为基础的。

A. 所有权　　B. 隐私权

C. 知情权　　D. 支配权

177. 下列关于信息政策与信息法律的区别，说法不正确的是（　　）。

A. 二者在本质上不相同

B. 二者形成过程和表现形式不完全相同

C. 二者实现方式和范围不完全相同

D. 二者作用的时效和影响作用过程不完全相同

178.《中华人民共和国专利法》中对外观设计专利权保护范围的规定是（　　）。

A. 以该外观设计专利产品的说明书为准

B. 以该外观设计专利产品的附图为准

C. 以该外观设计专利产品实物为准

D. 以表示在图片或照片中的该外观设计专利产品为准

179. 下列选项中，可以获得专利权的是（　　）。

A. 制造某种机器的方法　　B. 科学发现

C. 智力活动的规则和方法　　D. 动物和植物品种

180. 根据《中华人民共和国商标法》的规定，商标续展有效期为（　　）年。

A. 5　　B. 10

C. 15　　D. 20

181. 目前世界各国对半导体芯片的保护主要集中在（　　）。

A. 集成电路的布图设计　　B. 集成电路的构形

C. 集成电路的制造工艺　　D. 集成电路的外观技术

182. 在影响计算机信息系统案例的人为因素中，危害最大、最严重的是（　　）。

A. 非法侵入或破坏　　B. 计算机病毒和黑客

C. 机器故障及火灾　　D. 失误操作

183. 从法律形态的角度来看，信息主体主要可分为自然人、法人和（　　）。

A. 外国人　　B. 个体经营户

C. 国家　　D. 事业单位

184. 下列关于职务软件的表述，不正确的是（　　）。

A. 著作权由本单位享有，完成创作的人可以获得奖励

B. 著作权由作者享有，单位有权在业务范围内优先使用

C. 单位与职工对于职务作品的归属有合同约定的，从其约定

D. 职务软件指执行本单位任务或者主要是利用本单位的物质技术条件所完成的软件技术成果

185. 下列主体中，不能申请集体商标的是（　　）。

A. 团体　　B. 协会

C. 自然人　　D. 企业

186. 信息法律关系由三个要素构成，三个要素密切相关，缺一不可，分别是主体、客体和（　　）。

A. 关系　　B. 内容

C. 联系　　D. 权利

187. 布图设计自创作完成之日起（　　）年后，不再受保护。

A. 10　　B. 15

C. 20　　D. 25

188. 食品广告不包括（　　）。

A. 饮料广告

B. 按照传统既是食品又是药品的物品的广告

C. 以治疗为目的的物品广告

D. 食品原料广告

189.《中华人民共和国商标法》第八条规定，能够作为商标的是任何能够将自然人、法人或者其他组织的商品与他人的商品区别开的标志。下列不可以作为商标的是（　　）。

A. 文字　　B. 图形

C. 声音　　D. 字母

190. 甲厂以招标方法向社会公开征集企业形象标识设计，最终甲厂职工乙的设计稿被选用作为企业形象标识。乙设计的标识属于（　　）。

A. 受工厂委托而创作的作品

B. 为完成工厂的工作任务而创作的职务作品

C. 由工厂主持并代表工厂意志创作的法人作品

D. 不受著作权保护的作品在其装置中使用有关专利产品

191. 音乐家甲不幸英年早逝，留下创作完成而未公开的乐曲《江山万里红》，甲的继承人可以继承该作品的权利是（　　）。

A. 修改权　　B. 发表权

C. 署名权　　D. 获得报酬权

192. 统计机构和统计人员享有的统计信息权不包括（　　）。

A. 统计调查权　　B. 统计公布权

C. 统计报告权　　D. 统计监督权

193. 根据我国的著作权取得制度，下列选项的内容符合我国公民著作权产生的情况的是（　　）。

A. 随作品的发表而自动产生

B. 随作品的创作完成而自动产生

C. 在作品上加注版权标记后自动产生

D. 在作品以一定的物质形态固定后产生

194. 不属于我国信息技术标准等级的是（　　）。

A. 国家标准　　B. 内部标准

C. 企业标准　　D. 地方标准

二、多项选择题

1. 众所周知，现代社会的三大支柱是（　　）。

A. 财产　　B. 物质

C. 能源　　D. 信息

E. 智力成果

2. 信息法制建设一般可以通过下列（　　）层次来实现。

A. 法律　　B. 法规

C. 政策　　D. 案例

E. 借鉴

3. 现代社会的信息法制建设一般被视为与电子化相联系的，兴起于20世纪，主要是在（　　）发达国家来进行。

A. 北美洲　　B. 欧洲

C. 南美洲　　D. 亚洲

E. 非洲

4. 能够作为法律意义上的财产，必须（　　）。

A. 具备经济价值　　B. 具备价值

C. 符合社会的要求　　D. 是合法的

E. 具备人能实际支配的条件

5. 从法律形态的角度，可以把信息主体分为（　　）。

A. 国家　　B. 法人

C. 自然人　　D. 事业单位

E. 企业

6. 我国的信息法制建设与发达国家相比，差距主要体现在（　　）。

A. 国家立法较多

B. 国家立法较少，地方、行业主管部门的行政规定较多

C. 宏观性、全局性把握的法规较多

D. 信息法的内容不够完整和具体

E. 针对信息产业某个领域、某个现象的法律法规比较多，宏观把握的法规较少

7. 属于我国商标法法定构成要素的有（　　）。

A. 图形　　B. 字母

C. 数字　　D. 三维标志

E. 颜色组合

8. 信息依其载体的不同，可以分为（　　）。

A. 社会信息　　B. 实物信息

C. 秘密信息　　D. 文献信息

E. 口头信息

9. 下列信息属于社会信息的有（　　）。

A. 生命信息　　B. 商业信息

C. 政治信息　　D. 科技信息

E. 法律信息

10. 下列信息属于商品性信息的有（　　）。

A. 有偿使用的专利技术　　B. 有偿使用的商标

C. 天气预报　　D. 疫情报告

E. 国家统计信息

11. 国家创制法律规范的主要方式有（　　）。

A. 制定　　B. 认可

C. 修改　　D. 借鉴

E. 接收

12. 信息政策作为信息资源管理手段，其特点主要表现为（　　）。

A. 战略全局性　　B. 指导性

C. 时间性（稳定性）　　D. 变异性

E. 复杂性

13. 公民的隐私包括（　　）。

A. 私人数据　　B. 私人信息

C. 私人活动　　D. 私人空间

E. 私人感情

14. 要成为著作权法保护的作品必须具备的条件是（　　）。

A. 独创性　　B. 表达性

C. 可复制性　　D. 合法性

E. 实用性

15. 根据《中华人民共和国著作权法》第五条的规定，下列不属于作品的是（　　）。

A. 国家命令、决定　　B. 时事新闻

C. 历法　　D. 数表

E. 公式

16. 根据《中华人民共和国著作权法》第五条的规定，下列属于作品的是（　　）。

A. 小说　　B. 交响乐

C. 计算机软件　　D. 工程设计图

E. 评书

17.《中华人民共和国消费者权益保护法》规定的消费者权益有（　　）。

A. 获取信息权　　B. 知识获取权

C. 监督批评权　　D. 警示权

E. 自由处分权

18. 信息法立法的基本原则包括（　　）。

A. 平等互利原则　　B. 效益原则

C. 实事求是原则　　D. 吸收借鉴原则

E. 协调原则

19. 一般来说，国家秘密的秘级分为（　　）。

A. 绝密　　B. 保密

C. 机密　　D. 秘密

E. 隐密

20.《中华人民共和国保守国家秘密法》的特点主要是（　　）。

A. 预防为主　　B. 重点突出

C. 奖惩分明　　D. 严打重打

E. 一律平等

21. 下列属于隐私内容中的私人信息的有（　　）。

A. 身高　　B. 社会交往、日常生活

C. 日记、信件　　D. 个人收入

E. 生活经历

22. 隐私权是公民的人格权，主要包括（　　）几种权能。

A. 隐瞒权　　B. 利用权

C. 维护权　　D. 支配权

E. 占有权

23. 在现实生活中，有下列情况可以公开他人的隐私（　　）。

A. 社会公共利益的需要

B. 政治利益的需要

C. 公民为维护个人权利的需要在必要的范围内了解他人的隐私

D. 为了社会公众的需要

E. 为了演出的需要

24. 对于个人信息的保护，可以采取的方式有（　　）。

A. 技术手段　　B. 行政手段

C. 行业自律　　D. 立法规范

E. 社会监督

25. 德国《宪法》规定，被作为绝对权力对待的有（　　）。

A. 名誉权　　B. 隐私权

C. 著作权　　D. 邻接权

E. 生存权

26. 目前，世界各国对隐私权的保护模式有（　　）。

A. 直接保护　　B. 间接保护

C. 一般保护　　D. 重点保护

E. 区别保护

27.《中华人民共和国民事诉讼法》第一百三十四条规定，人民法院审理民事案件时，可以不公开进行的有（　　）。

A. 国家秘密　　B. 离婚案件已作申请的

C. 个人隐私　　D. 商业秘密已作申请的

E. 个人隐私已作申请的

28. 英美法系国家将（　　）作为信息公开法的核心目的。

A. 公开性　B. 说明责任

C. 隐蔽性　D. 回避责任

E. 大众化

29. 在我国，政府是最大的、唯一的（　　）拥有者。

A. 政务信息　B. 私人信息

C. 经济信息　D. 宏观市场商业信息

E. 数据信息

30. 一般来说，信息系统安全主要涉及信息在系统中（　　）安全。

A. 存储　B. 保存

C. 传输　D. 输入

E. 输出

31. 下列属于信息系统安全中逻辑安全方面的有（　　）。

A. 安全管理　B. 信息的保密性

C. 信息的完整性　D. 信息的可用性

E. 安全放置设备

32. 产权的基本含义是指财产所有权，它包括（　　）及其他与财产有关的权利。

A. 对财产的占有　B. 对财产的使用

C. 对财产的收益　D. 对财产的处分

E. 对财产的保密

33. 知识产权的特征有（　　）。

A. 专有性　B. 非地域性

C. 无形性　D. 可复制性

E. 智力性

34. 危害信息系统安全的因素主要有（　　）。

A. 自然灾害　B. 信息灾害

C. 人为灾害　D. 计算机病毒

E. 黑客

35. 在影响信息系统安全的有意灾害和无意灾害因素中，对信息系统安全的危害最大、最严重的因素有（　　）。

A. 计算机病毒　　B. 黑客
C. 火灾　　D. 自然灾害
E. 雷击

36. 著作权中的人身权包括（　　）。
A. 发表权　　B. 修改权
C. 署名权　　D. 保护作品完整权
E. 展览权

37.《中华人民共和国著作权法》第十条规定，保护作品完整权，即（　　）。
A. 保护作品不受歪曲的权利　　B. 保护作品不受修改的权利
C. 保护作品不受篡改的权利　　D. 保护作品不受发表的权利
E. 保护作品不受复制的权利

38. 著作权中的财产权包括（　　）。
A. 复制权　　B. 展览权
C. 改编权　　D. 署名权
E. 获得报酬权

39. 著作权中的合理使用方式主要有（　　）。
A. 商演已经发表的作品
B. 将已发表的汉族文字作品译成少数民族文字在国内出版发行
C. 在电视节目中引用已经发表的作品
D. 为介绍、评论某一作品，在作品中引用他人已经发表的作品
E. 在广播电台的讲话

40. 解决著作权纠纷的途径包括（　　）。
A. 调解　　B. 商量
C. 仲裁　　D. 诉讼
E. 和解

41. 我国专利权的客体种类有（　　）。
A. 发明　　B. 发现
C. 实用新型　　D. 外观设计
E. 外包装

42. 根据发明的定义，可将发明分为（　　）。
A. 产品发明　　B. 方法发明

C. 技术发明　　D. 一般发明

E. 商品发明

43. 根据《中华人民共和国专利法》的规定，下列不属于发明创造的智力成果的种类有（　　）。

A. 万有引力定律　　B. 速算法

C. 情报检索方法　　D. 足球比赛规则

E. 望、闻、问、切诊断法

44. 根据《中华人民共和国专利法》的规定，下列不授予专利权的技术领域主要有（　　）。

A. 动物品种　　B. 植物品种

C. 核变物质　　D. 培育动植物新品种的方法

E. 产品生产过程

45. 根据《中华人民共和国专利法》的规定，专利权的实用性包括（　　）。

A. 可实施性　　B. 再现性

C. 再生性　　D. 有益性

E. 经济性

46. 根据《中华人民共和国商标法》的规定，商标应由一定的文字、图形……以及上述要素的组合而成。这里的文字和图形包括（　　）。

A. 英语　　B. 拼音

C. 阿拉伯数字　　D. 平面图形

E. 立体图形

47. 根据《中华人民共和国商标法》的规定，下列禁作商标标志的有（　　）。

A. 军旗　　B. 红十字、红新月

C. 联合国旗帜　　D. 法国

E. 无敌牌缝纫机

48. 根据《中华人民共和国商标法》的规定，下列商标不能被核准注册的有（　　）。

A. 用中国地图制作的商标图形　　B. “健康”啤酒

C. “北京”香烟　　D. “海花”啤酒

E. “国栋”地板

49. 从商标的用途来分类，可把商标分为（ ）。

A. 制造商标　　B. 营业商标

C. 等级商标　　D. 证明商标

E. 图形商标

50. 从商标的使用者来分类，可把商标分为（ ）。

A. 制造商标　　B. 销售商标

C. 集体商标　　D. 证明商标

E. 记号商标

51. 商业秘密必须同时具备下列条件（ ）。

A. 秘密性　　B. 价值性

C. 实用性　　D. 保密性

E. 效益性

52. 商业秘密权的主体包括（ ）。

A. 社团组织　　B. 企业法人

C. 事业法人　　D. 自然人

E. 政府

53. 计算机软件著作权中的精神权利包括（ ）。

A. 发表权　　B. 使用权

C. 开发者身份权　　D. 获得报酬权

E. 转让权

54. 对于计算机软件著作权的取得，目前世界上主要有（ ）。

A. 自动取得　　B. 登记注册

C. 继承取得　　D. 转让取得

E. 赠与取得

55. 信息技术标准化的原则主要有（ ）。

A. 整体最优　　B. 统一实用

C. 部分最优　　D. 协商一致

E. 稳定扩充

56. 下列属于人类创造出来的信息表示技术的有（ ）。

A. 语言文字　　B. 图形

C. 数字　　D. 符号

E. 暗号

57. 根据我国的有关规定，下列标准必须实行强制性标准的有（　　）。

A. 药品、食品卫生标准　　B. 劳动安全标准

C. 工程建设质量标准　　D. 产品生产安全标准

E. 劳动卫生标准

58. 属于我国商标法定构成要素的有（　　）。

A. 图形　　B. 字母

C. 数字　　D. 三维标志

E. 颜色组合

59. 商业方法专利的主要类型包括（　　）。

A. 网络交易类　　B. 金融类

C. 市场营销类　　D. 管理类

E. 广告发布类

60. 国家秘密的基本构成要素包括（　　）。

A. 关系人民的安全

B. 关系国家的安全和利益

C. 依照法定程序确定

D. 不能让所有人员知悉

E. 在一定时间内只限一定范围的人员知悉

61.《中华人民共和国消费者权益保护法》的调整对象有（　　）。

A. 国家　　B. 经营者

C. 消费者　　D. 租赁者

E. 承包者

62. 信息公开制度的基本原则包括（　　）。

A. 平等原则　　B. 真实原则

C. 充分原则　　D. 准确原则

E. 及时原则

63. 我国对国际联网实行的原则是（　　）。

A. 统筹规划　　B. 统一标准

C. 分级管理　　D. 分层管理

E. 促进发展

64. 信息传播领域中的有害信息包括（　　）。

A. 失实信息　　B. 垃圾信息

C. 超载信息　　D. 广告信息

E. 过时信息

65. 广告应遵循的基本原则有（　　）。

A. 真实性原则　　B. 合法性原则

C. 符合精神文明建设的原则　　D. 及时原则

E. 美观原则

66. 与信息技术标准化相关的国际组织有（　　）。

A. 国际标准化组织（ISO）　　B. 国际电工委员会（IEC）

C. 国际电信联盟（ITU）　　D. 国际电报电话咨询委员会（CCITT）

E. 第一联合技术委员会（JTC1）

67. 计算机犯罪的特点包括（　　）。

A. 智能性　　B. 隐蔽性

C. 普遍性　　D. 连续性

E. 高黑数

68. 在《世界贸易组织协定》的 29 个独立法律文件中，信息公开是贯穿于多边贸易体制的基本要求。此项要求体现在世界贸易组织体制中的（　　）原则中。

A. 非歧视原则　　B. 平等互利原则

C. 市场准入原则　　D. 促进公平竞争原则

E. 统一竞争原则

69. 在我国，一件信息要成为商业秘密，必须分析其是否同时具备以下（　　）法律特征。

A. 新颖性　　B. 秘密性

C. 价值性　　D. 实用性

E. 保密性

70. 美国《半导体芯片保护法》对专有权的限制有（　　）。

A. 反向工程　　B. 逆向工程

C. 首次出售　　D. 恶意侵权

E. 善意侵权

71. 气象信息服务的方式有（　　）。

A. 报纸杂志　　B. 声讯电话

C. 手机短信　　D. 电子邮件

E. 广播电视

72. 统计信息权包括（　　）。

A. 统计使用权　　B. 统计公布权

C. 统计调查权　　D. 统计报告权

E. 统计监督权

73. 商业秘密是指不为公众所知，能为权利人带来经济利益，具有实用性并经权利人采取保密措施的（　　）。

A. 技术信息　　B. 经营信息

C. 生产信息　　D. 商业信息

E. 企业信息

74. 下列侵犯国家秘密的基本犯罪中，犯罪主体为一般主体的是（　　）。

A. 非法获取国家机密罪　　B. 非法持有国家机密罪

C. 泄露国家机密罪　　D. 向境外非法提供国家机密罪

E. 泄露国家军事秘密罪

75. 信息政策的特点主要表现为（　　）。

A. 战略全局性　　B. 指导性

C. 时间性（稳定性）　　D. 变异性

E. 复杂性

76. 个人信息保护的主要方式有（　　）。

A. 技术手段　　B. 行业自律

C. 社会监督　　D. 立法规范

E. 道德约束

77. 在我国，可以把商标从结构上划分为（　　）。

A. 文字商标　　B. 图形商标

C. 组合商标　　D. 立体商标

E. 防伪商标

78. 我国专利权客体的种类分为（　　）。

A. 发明　　B. 发现

C. 实用新型　　　　　　　　　　D. 外观设计

E. 外包装

79. 信息权利客体的最重要的表现形式有（　　）。

A. 商业信息　　　　　　　　　　B. 政治信息

C. 科技信息　　　　　　　　　　D. 文化信息

E. 法律信息

80. 危害信息系统安全的因素主要有（　　）。

A. 自然灾害　　　　　　　　　　B. 有意灾害

C. 无意灾害　　　　　　　　　　D. 计算机病毒

E. 黑客

81. 根据《中华人民共和国著作权法》的要求，要成为《中华人民共和国著作权法》保护的作品，一般必须具备（　　）。

A. 独创性

B. 表达性

C. 可复制性

D. 合法性

E. 是《中华人民共和国著作权法》意义上的作品

82. 在我国，要认定一件信息是否符合商业秘密，必须分析该信息是否同时具备下列（　　）法律特征。

A. 广泛性　　　　　　　　　　　B. 秘密性

C. 价值性　　　　　　　　　　　D. 实用性

E. 保密性

83. 我国把标准分为（　　）。

A. 国家标准　　　　　　　　　　B. 行业标准

C. 地方标准　　　　　　　　　　D. 企业标准

E. 国际标准

84. 下列关于信息政策与信息法律的论述，正确的有（　　）。

A. 二者在本质上是完全不相同的

B. 信息政策是信息法律的重要基础

C. 信息政策的作用范围比信息法律的作用范围小，信息法律的作用效果比信息政策的作用效果具体和明确

D. 信息法律是保障信息政策得以贯彻和实施的重要法律手段

E. 信息政策与信息法律是国家管理信息资源的两种重要手段

85. 下列哪些行为无须向著作权主体支付报酬（　　）。

A. 为个人学习、研究或者欣赏，使用他人已经发表的作品

B. 国家机关为执行公务使用已发表过的作品

C. 免费表演已经发表的作品

D. 电台、电视台利用改编、翻译、注释、整理作品制作节目

E. 将已经发表的作品改成盲文出版

86. 国家创制法律规范的主要方式有（　　）。

A. 制定　　B. 认可

C. 修改　　D. 接收

E. 借鉴

87. 从商标使用者角度，可以把商标分为（　　）。

A. 制造商标　　B. 驰名商标

C. 销售商标　　D. 集体商标

E. 著名商标

88. 可以公开他人隐私的情况是（　　）。

A. 因私人好奇心公开他人隐私

B. 是为了社会公共利益和政治利益的需要

C. 公民为了维护个人权利的需要在必要的范围内了解他人的隐私

D. 为了获取经济利益和政治利益

E. 为了扩大自己的声誉

89. 下列选项中，可成为著作权继受主体的有（　　）。

A. 继承者　　B. 承受人

C. 受遗赠者　　D. 国家

E. 事业单位

90. 下列选项中，著作权不予保护的对象有（　　）。

A. 概念　　B. 原理

C. 运行方法　　D. 算法

E. 符号

91.《中华人民共和国统计法》规定，各级统计机构和统计人员可以依法独立行使的职权是（　　）。

A. 统计调查权　　B. 统计报告权
C. 统计规划权　　D. 统计监督权
E. 统计审查权

92. 我国信息技术标准划分为（　　）。

A. 国际标准　　B. 国家标准
C. 行业标准　　D. 地方标准
E. 企业标准

93. 在危害信息系统安全的因素中，对信息系统安全危害最大、最严重的是（　　）。

A. 火山爆发　　B. 计算机病毒
C. 黑客　　D. 雷击
E. 火灾

94.《中华人民共和国证券法》规定了信息公开的内容主要包括（　　）。

A. 证券发行前公开　　B. 证券发行后公开
C. 上市交易前公开　　D. 上市交易后持续公开
E. 持续信息公开

95. 危害信息系统安全的行为有（　　）。

A. 非法侵入信息系统　　B. 破坏信息系统安全
C. 窃取信息系统数据　　D. 滥用信息系统
E. 窃用信息系统服务

96. 信息法律关系的构成要素包括（　　）。

A. 法律　　B. 法规
C. 主体　　D. 客体
E. 内容

97. 根据我国《计算机软件保护条例》的规定，软件作品的精神权利包括（　　）。

A. 使用权　　B. 使用许可权
C. 发表权　　D. 开发者身份权
E. 转让权

98. 世界各国保护数据库的方式有（　　）。

A. 以专利保护

B. 以商业秘密保护

C. 以编辑著作保护

D. 在著作权法中单独作为作品的一种类型保护

E. 单独立法保护

99. 我国现行的与知识产权制度相关的法律包括（　　）。

A.《中华人民共和国著作权法》　　B.《中华人民共和国专利法》

C.《中华人民共和国商标法》　　D.《中华人民共和国证券法》

E.《中华人民共和国邮政法》

三、名词解释题

1. 信息法律关系

2. 信息法的地位

3. 信息法

4. 个人信息

5. 信息公开制度

6. 网络隐私权

7. 商业秘密

8. 计算机软件的著作权

9. 隐私

10. 知识产权

11. 信息偏在

12. 国家信息基础设施

13. 信息技术标准化

14. 作品

15. 知识产权法

16. 著作权的邻接权

17. 信息立法体系

18. 国家秘密

19. 非法获取国家秘密罪

20. 非法持有国家秘密罪

21. 泄露国家秘密罪

22. 向境外非法提供国家秘密罪

23. 非法获取军事秘密罪

24. 泄露国家军事秘密罪

25. 为境外非法提供军事秘密罪

26. 产权

27. 专利权

28. 信息政策

29. 商标注册

30. 疫情信息

31. 疫情信息权

32. 消费者获取信息权

33. 数字作品

34. 狭义计算机犯罪

35. 折衷的计算机犯罪

36. 商标

37. 信息法律关系的主体

38. 竞业避止

39. 信息技术术语

40. 破坏计算机信息系统功能罪

41. 信息系统安全

42. 计算机犯罪的定义

43. 权利管理电子信息

44. 突发事件

45. 电信普遍服务

46. 商标权

47. 证明商标

48. 隐私权

49. 著作权

四、判断改错题

1. 信息法律和信息政策在本质上是相同的。 ( )

2. 专利申请者一定要通过专利代理机构进行申请。 ( )

3. 发明人或设计人只能是自然人，不能是法人或其他单位。 ( )

4. 维持商业秘密最有效的方式是自己采取有效的保密措施，而维持专利有效需要缴纳年费。 ( )

5. 著作权法是国际法，对所有国家都有效。（ ）

6. 信息法必须依据宪法制定，并不得与宪法相抵触。（ ）

7. 专利申请者只能通过专利代理机构进行专利申请。（ ）

8. 集体商标与证明商标的商标注册人享有商标所有权，自己可以使用该商标。（ ）

9. 广告中表明推销商品、提供服务附带赠送礼品的，可以不标明赠送的品种和数量。（ ）

10. 信息法律与信息政策作为国家调节信息活动产生的社会关系的两种重要手段，在本质上是不相同的。 (   )

11. 在我国，可以就新型电视机的制造方法提出实用新型专利申请。 (   )

12.《中华人民共和国商标法》规定，一份申请只能申请一个商标，不能在一份申请中申请两个或两个以上商标。 (   )

13. 可以在车站候车室、影剧院以及体育比赛场馆设置烟草广告。 (   )

14. 信息法律的基本功能是导向，主要是通过思想工作和说服教育的方式来实现。 (   )

15. 任何国家的知识产权法只在该国领域内发生效力，对其他国家则不发生效力。　　（　　）

16. 在我国，一份商标申请文件可以申请多个商标。　　（　　）

17. 认定商业秘密的最基本条件是该技术信息或经营信息必须具有秘密性。　　（　　）

18. 信息公开制度是一种承认公民对国家拥有的信息有公开请求权，国家对这种信息公开的请求有回答义务的制度。　　（　　）

19. 信息政策的主要功能是规范或者引导人们，具有普遍的强制约束力。　　（　　）

20. 知识产权是信息产权的核心部分，信息产权的范围大于知识产权。（ ）

21. 专利的发明人或设计人只能是自然人，不能是法人或其他单位。（ ）

22. 烟草广告中必须标明“吸烟有害健康”。（ ）

23. 突发事件按照发生的紧急程度、发展有态势和可能造成的危害程度分为一级、二级、三级和四级，四级为最高级别。（ ）

24. 目前对计算软件最主要的法律保护是利用著作权法。（ ）

25. 知识产权是一种无形财产权。 (　　)

26. 对于新产品制造方法的专利侵权申诉，由侵权人提供产品不是用专利方法而是用其他方法制造的证明。 (　　)

27. 目前我国对公民隐私权采用的是直接保护方式。 (　　)

28. 真皮标志是中国皮革工业协会注册的证明商标，中国皮革工业协会对于该标志不可以自己使用，但可以许可符合条件的企业使用。 (　　)

29. 商标注册人将注册商标权仅许可一个被许可人使用，商标注册人依约定不得使用该商标。这种许可合同是排他使用许可。 (　　)

30. 将计算机病毒的源代码予以公开的行为不构成制作、传播计算机病毒等破坏性程序罪。 （ ）

31. 认定商业秘密的最基本条件是该技术信息或经营信息必须具有秘密性。

（ ）

32. 许可方许可对方在一定范围内使用注册商标，许可方保护留自己在该范围内的使用权，但不能再与第三方签订许可使用合同。这种许可合同是独占许可。

（ ）

33. 法人和自然人都可以成为商业秘密的主体。 （ ）

五、问答题

1. 简述个人信息保护的原则。

2. 简述信息技术的发展趋势。

3. 简述疫情信息报告和公布的规定。

4. 列举要成为著作权法保护的作品必须具备的条件。

5. 简述他人权利对商业秘密权的限制。

6. 简述计算机犯罪的特点。

7. 简述经营者在保护消费者获取信息权利方面的义务。

8. 简述将信息法作为一个独立法律部门的理由。

9. 简述危害信息系统安全的行为。

10. 注册商标必经具备的条件有哪些?

11. 简述目前我国在信息技术标准化工作中存在的突出问题。

12. 试述信息法制建设的重要性。

13. 简述侵犯国家秘密的基本犯罪类型。

14. 简述著作权的限制情况。

15. 简述著作权与邻接权的区别。

16. 简述不受专利权法保护的客体种类。

17. 简述我国对信息技术标准化的展望。

18. 简述计算机犯罪的社会危害性。

19. 简述商业秘密与国家秘密的不同。

20. 试述商业秘密与专利的区别。

21. 试述信息政策与信息法律的区别与联系。

22. 简述构成国家秘密的基本要素。

23. 知识产权具有哪些特征？

24. 简述构成商业秘密的基本要素。

25. 简述商标权的内容。

26. 从信息政策的内容角度考察，信息政策由哪些分支政策构成？

27. 影响信息系统安全的因素有哪些？

28.《中华人民共和国专利法》对专利权作了若干限制性的规定，出现哪些情况时，不视为侵犯专利权？

29. 简述信息技术标准化的原则。

30. 简述对软件著作权的主要权利限制。

31. 简述计算机犯罪的类型。

32. 试述计算机信息网络对知识产权制度的影响。

33. 报纸出版行政管理部门实施的监管制度主要有哪些?

34. 计算机软件著作权的权利有哪些?

35. 世界各国保护数据库的方式有哪些?

36. 如何理解信息立法的基本原则？

37. 简述专利权人的权利与义务。

38. 简述权利管理电子信息侵权的构成要件。

练习题参考答案

一、单项选择题

1. D	2. A	3. A	4. B	5. D	6. B	7. D	8. D
9. B	10. C	11. A	12. C	13. C	14. C	15. D	16. A
17. A	18. C	19. B	20. A	21. D	22. A	23. B	24. C
25. B	26. B	27. D	28. A	29. D	30. B	31. B	32. B
33. A	34. D	35. C	36. C	37. C	38. B	39. A	40. C
41. A	42. A	43. A	44. A	45. C	46. B	47. B	48. B
49. A	50. D	51. B	52. A	53. C	54. D	55. B	56. C
57. D	58. D	59. B	60. B	61. A	62. A	63. A	64. B
65. A	66. C	67. C	68. A	69. A	70. B	71. A	72. B
73. C	74. A	75. D	76. A	77. C	78. B	79. A	80. C
81. B	82. B	83. A	84. C	85. B	86. B	87. C	88. A
89. D	90. B	91. B	92. B	93. B	94. C	95. A	96. A
97. A	98. A	99. D	100. B	101. B	102. D	103. B	104. B
105. A	106. C	107. D	108. A	109. C	110. B	111. B	112. D
113. A	114. C	115. D	116. D	117. C	118. D	119. A	120. A
121. D	122. C	123. A	124. A	125. A	126. A	127. D	128. B
129. B	130. A	131. B	132. B	133. C	134. A	135. A	136. D
137. A	138. C	139. C	140. D	141. A	142. A	143. A	144. A
145. C	146. C	147. B	148. B	149. B	150. B	151. D	152. A
153. D	154. D	155. D	156. A	157. A	158. B	159. C	160. C
161. B	162. D	163. A	164. A	165. C	166. C	167. B	168. B
169. C	170. D	171. A	172. D	173. D	174. C	175. D	176. C

177. A　178. D　179. A　180. B　181. A　182. B　183. C　184. C
185. C　186. B　187. B　188. C　189. C　190. A　191. D　192. B
193. B　194. B

二、多项选择题

1. BCD	2. ABC	3. AB	4. AE	5. ABC
6. BE	7. ABCDE	8. BDE	9. BCDE	10. AB
11. AB	12. ABCD	13. CD	14. ABCD	15. ABCDE
16. ABCDE	17. ABC	18. BCDE	19. ACD	20. ABC
21. ADE	22. ABCD	23. ABC	24. ACD	25. AB
26. AB	27. AC	28. AB	29. ACD	30. AC
31. BCD	32. ABCD	33. ACD	34. AC	35. AB
36. ABCD	37. AC	38. ABCE	39. BCDE	40. ACD
41. ACD	42. AB	43. ABCD	44. ABC	45. ABD
46. ABCD	47. ABCDE	48. ABC	49. BCD	50. ABC
51. ABCD	52. BCD	53. AC	54. AB	55. ABDE
56. ABCDE	57. ABCDE	58. ABCDE	59. ABCD	60. BCE
61. ABC	62. BCDE	63. ABCE	64. ABCE	65. ABC
66. ABCDE	67. ABDE	68. ACD	69. BCDE	70. ACD
71. ABCDE	72. CDE	73. AB	74. ABC	75. ABCD
76. ABD	77. ABCD	78. ACD	79. ABC	80. ABC
81. ABCDE	82. BCDE	83. ABCD	84. BCDE	85. ABCDE
86. AB	87. ACD	88. BC	89. ABC	90. ABCDE
91. ABD	92. BCDE	93. BC	94. ACD	95. ABCDE
96. CDE	97. CD	98. CDE	99. ABC	

三、名词解释题

1. 信息法律关系是指依据信息法产生的，以主体之间的权利义务关系为表现形式的特殊的社会关系。

2. 信息法的地位通常是指信息法在法律体系中的地位，即在法律体系中有没有自己存在的位置，这是信息法学极为关注的问题之一。

3. 信息法是用以调整信息活动（或者是信息技术和信息产业）领域中的社会关系的，信息法是一种法律规范。

4. 个人信息顾名思义是关于个人的信息，是指有关个人的一切资料、数据，一方面包括从其自身产生的信息，另一方面包括非自身产生的信息。

5. 信息公开制度是一种承认公民对国家拥有的信息有公平请求权，国家对这种信息公开的请求有回答义务的制度。

6. 网络隐私权是指公民在网上享有的私人生活安宁与私人信息依法受到保护，不被他人非法侵犯、知悉、搜集、利用和公开的一种人格权，也指禁止在网上泄露某些与个人相关的敏感信息，包括事实、图像以及诽谤的意见等。

7. 商业秘密是指不为公众所知悉，能为权利人带来经济利益，具有实用性并经权利人采取保密措施的技术信息和经营信息。

8. 计算机软件的著作权是指软件的开发者或其他权利人依据有关著作权法律的规定，对于软件作品享有的各项专有权利。

9. 隐私是指公民与公共利益无关的个人生活秘密，其包含的内容就是私人信息、私人活动和私人空间。

10. 知识产权是指公民、法人、非法人单位对自己的创造性智力成果，依法享有民事权和其他科技成果权的总称。

11. 信息偏在又称信息不对称、信息不充分，是指在市场主体之间，相关的信息是不充分的，这些信息并非对称地相互分布在各方之间，而是偏在于其中一方。

12. 国家信息基础设施是一个能给用户提供大量信息的，由通信网络、计算机、数据库及日用电子产品组成的无缝网络。

13. 信息技术标准化是指在开发利用信息资源及各种实践活动中，通过制定、修改、管理和实施各种信息技术标准，达到统一的局面，以便获得最佳经济和社会效益。

14. 作品是指文学、艺术和科学领域内，具有独创性并能以某种有形形式复制的智力创作成果。

15. 知识产权法是国家法律体系中综合调整公民、法人或非法人单位相互之间在创造、使用、转让智力成果过程中形成的社会关系的法律规范的总和，它是著作权法、专利法、商标法等各项与知识产权有关的单一性法律法规的综合。

16. 著作权的邻接权实质上是指作品传播者在传播作品时享有的权利，因为它和著作权紧密相连，所以世界上大多数国家称之为著作权的邻接权。

17. 信息立法体系是指由各种信息法律、法规等构成的规范性文件系统，它表明的是信息法的外在形式结构。该体系构成的基本因素是信息法律条文和规范性文件。它既包括对现有立法的分类，也包括对应有立法的分类。

18. 国家秘密是关系国家的安全和利益，依照法定程序确定，在一定时间内只限一定范围的人员知悉的事项。

19. 非法获取国家秘密罪是指以窃取、刺探、收买等方法，非法获取国家秘密的行为。

20. 非法持有国家秘密罪是指非法持有属于国家绝密或机密的文件、资料或者其他物品，拒不说明来源与用途的行为。

21. 泄露国家秘密罪是指国家工作人员违反国家保密法规，故意或者过失泄露国家秘密，并且情节严重的行为。

22. 向境外非法提供国家秘密罪是指为境外的机构、组织、人员窃取、刺探、收买、非法提供国家秘密或者情报的行为。

23. 非法获取军事秘密罪是指军职人员违反国家军事秘密法规的规定，以窃取、刺探、收买等方法，非法获取军事秘密的行为。

24. 泄露国家军事秘密罪是指军职人员违反国家军事秘密法规的规定，故意或过失泄露国家军事秘密，并且情节严重的行为。

25. 为境外非法提供军事秘密罪是指军职人员为境外的机构、组织、人员窃取、刺探、收买、非法提供军事秘密的行为。

26. 产权的基本含义是财产所有权，它包括对财产的占有、使用、收益、处分及其他与财产有关的权利，产权的客体是财产。

27. 专利权是专利法律制度的核心，它是指一项发明创造向国家专利主管部门提出专利申请，经依法审查合格后，国家专利主管部门向专利申请人授予的在规定的时间内对该项发明创造享有的专有权。

28. 信息政策是指一个国家或组织在一定时期内为处理信息和信息产业中出现的各种矛盾而制定的具有一定强制性的一系列规定的总和。

29. 商标注册是指商标注册行政主管部门依法受理商标注册申请、审查、批准的法律活动。

30. 疫情信息是指关于在传染病的发生、发展方面情况的信息。

31. 疫情信息权是指政府为了预防、控制和消除传染病的发生与流行，保障人体健康，依法享有的对疫情信息的收集、加工、处理、发布和传播的权利。

32. 消费者获取信息权，或称获知权、了解权、知情权，是消费者在购买或使用商品和服务时获取有关商品和服务的信息资料，了解商品和服务的有关知识和内容的权利，它是公民的信息自由权在经济生活领域中的一种体现。

33. 数字作品不仅包括文字、美术、摄影、音响、动画、电影电视等传统作品的数字表达形式，还包括从其被创作之时就是用二进制数字编码形式表达的计算机软件、数据库和多媒体作品等新型数字作品。

34. 计算机犯罪属于一种“财产罪”，即只与计算机数据处理有关的故意违法的财产破坏行为。换言之，凡是以故意篡改、毁损、无权取得或无权利用计算机数据、程序、计算机设备而侵害财产权益的犯罪皆属计算机犯罪。

35. 折衷计算机犯罪是行为人滥用计算机，或为足以破坏计算机系统正常运作的行为而形成与计算机特质有关的犯罪。

36. 商标是商品生产者或经营者为使自己的商品在市场上同其他商品生产者或经营者的商品相区别，而在自己的商品或其包装上采用的一种标志。

37. 信息法律关系的主体又称信息权利主体，是指信息法律关系中的权利享有者和义务承担者，也就是信息法律关系的参加者。

38. 竞业避止又称竞业禁止、竞业限制，是指员工在原单位任职期间或离开原单位一定期限内，不得在与原单位有竞争关系的其他单位内任职，其表现形式是竞业避止合同或称不竞争合同。

39. 信息技术术语是指关于信息技术概念的词或词组，信息技术术语的标准化是发展信息技术的前提。

40. 破坏计算机信息系统罪是指违反国家规定对计算机信息系统功能进行删除、修改、增加、干扰，造成计算机信息系统不能正常运行，并且后果严重的行为。

41. 信息系统安全是指信息系统有能力控制给定主体对给定客体的存取，包括物理安全和逻辑安全。

42. 计算机犯罪泛指与计算机技术、计算机系统有关，或与计算机处理有关的犯罪行为。凡是以计算机为犯罪工具，或以计算机为犯罪目的的所有犯罪行为都是计算机犯罪。

43. 权利管理电子信息是指说明作品及其作者、表演及其表演者、录音录像制品及其制作者的信息，作品、表演、录音录像制品权利人的信息和使用条件的信息，以及表示上述信息的数字或者代码。

44. 突发事件是指突然发生，造成或者可能造成严重社会危害，需要采取应急处置措施予以应对的自然灾害、事故灾害、公共卫生事件和社会安全事件。

45. 电信普遍服务是指任何人在任何地方、任何时候都能以承担得起的价格享受电信业务，而且运营商的服务质量和资费一视同仁。

46. 商标权是商标确认和保护的商标权人对其注册商标享有的专有权。

47. 证明商标是指对某种商品或者服务具有监督能力的组织所控制，而由该组织以外的单位或者个人使用于其商品或者服务，用以证明该商品或者服务的原产地、原料、制造方法、质量或其他特定品质的标志。

48. 隐私权是指自然人享有的私人生活的安宁与私人信息秘密依法受到保护，不被他人非法侵扰、知悉、收集、利用和公开的一种人格权。

49. 著作权也称版权，是指作者或其他著作权人依法对文学、艺术或科学作品享有的各项专有权利的总称。

四、判断改错题

1.（√）

2.（×）

改正：改为“不一定”。

3.（√）

4.（√）

5.（×）

改正：改为“具有地域性”。

6.（√）

7.（×）

改正：可以自行申请，也可以委托专利代理机构办理。

8.（×）

改正：自己不使用该商标。

9.（×）

改正：应当标明。

10.（×）

改正：将“不相同”改为“相同”。

11.（×）

改正：将“实用新型”改为“发明”。

12.（√）

13.（×）

改正：禁止在车站候车室、影剧院以及体育比赛场馆设置烟草广告。

14.（×）

改正：将“信息法律”该为“信息政策”。

15.（√）

16.（×）

改正：将“可以申请多个”该为“只能申请一个”。

17.（√）

18.（√）

19.（×）

改正：将“信息政策”改为“信息法律”。

20.（ √ ）

21.（ √ ）

22.（ √ ）

23.（×）

改正：将“四级为最高级别”改为“四级为最低级别”或“一级为最高级别”。

24.（√）

25.（√）

26.（√）

27.（×）

改正：将“直接”改为“间接”。

28.（√）

29.（×）

改正：将“排他”改成“独占”。

30.（×）

改正：将“不构成”改成“构成”。

31.（√）

32.（√）

33.（√）

五、问答题

1. 答：(1) 信息收集的合法性。

(2) 信息内容的准确性。

(3) 信息内容使用的安全性。

(4) 信息内容使用状况的可获得性。

2. 答：(1) 微电子的加速发展导致芯片的运算能力及性能价格比继续按几何级数的定律增长，从而带动软件、通信等信息技术的应用达到前所未有的发展水平。

(2) 信息的数字转换处理技术走向成熟，从而为大规模、多领域的信息产品制造和信息服务创造了条件。

(3) 软件技术的高速发展成倍地扩大了信息技术的应用范围和功能。

(4) 随着数字化技术的发展，计算机、电信与媒体技术的融合已成为必然。

3. 答：(1) 为了及时掌握疫情，任何人发现传染病或疑似传染病病人，都应当及时地向附近的医疗保健机构或者卫生防疫机构报告。

(2) 疫情具有很强的时效性，因此执行职务的工作人员发现《中华人民共和国传染病防治法》规定的疫情后，必须按时向当地的卫生防疫机构报告疫情。对于较严重的疫情，其疫情报告应当立即报告当地政府，同时报告上级卫生行政部门和国务院卫生行政部门。

(3) 国务院卫生行政部门应及时地如实通报和公布疫情，并可以授权省、自治区、直辖市政府卫生行政部门及时地如实通报和公布本行政区域的疫情。

(4) 在疫情暴发、流行时，当地政府应当立即组织力量进行防治，切断传染病的传播途径，必要时经批准可以采取紧急措施。

4. 答：(1) 独创性。

(2) 表达性。

(3) 可复制性。

(4) 合法性。

(5) 是著作权法意义的作品。

5. 答:（1）他人独自研究、设计、构思出同样的商业秘密。

（2）他人从其他合法权利主体合法受让或取得实施许可。

（3）他人通过反向工程获取商业秘密。

（4）他人善意取得或披露商业秘密。

（5）商业秘密权利主体的权利用尽。

6. 答:（1）智能性。

（2）隐蔽性。

（3）连续性。

（4）高黑数。

（5）危害性大。

（6）侦查取证难。

7. 答:（1）向消费者作出真实说明和明确警示的义务。

（2）向消费者提供有关商品或者服务的真实信息的义务。

（3）标明经营者真实名称和标记的义务。

（4）保证实际提供的商品或服务的实际质量与其标明相符的义务。

8. 答:第一，对部门法的划分虽然不是随意的，但任何形式的划分，只能是相对的，而不是绝对不变的。第二，信息法有着特定的调整对象，即信息活动中产生的各种社会关系。第三，我国的信息法律法规建设经过十几年的努力，已经取得了巨大的发展。第四，信息法的兴起与发展，并不是一种偶然的现象，而带有历史的必然性，具有社会发展的时代特征。

9. 答:（1）非法侵入信息系统。

（2）破坏信息系统安全。

（3）盗取信息系统数据。

（4）滥用信息系统。

（5）窃用信息系统服务。

10. 答:（1）商标必须具备法定的构成要素。

（2）商标必须具有显著性。

（3）商标不能使用法律禁止使用的标志。

11. 答:（1）执行标准兼容性差。

（2）大量的信息技术推荐性标准无法得到贯彻执行。

（3）国际标准的比例较低。

12. 答：（1）从人类社会的发展历史来看，信息法制建设是社会发展的要求。

（2）从技术与法律的关系来看，信息法制建设是信息技术应用的必然。

（3）从财产权法律关系的发展历程来看，信息法制建设是财产权法律关系的发展方向。

13. 答：（1）非法获取国家秘密罪。

（2）非法持有国家秘密罪。

（3）泄露国家秘密罪。

（4）向境外非法提供国家秘密罪。

（5）非法获取军事秘密罪。

（6）泄露国家军事秘密罪。

（7）为境外非法提供军事秘密罪。

14. 答：（1）时间限制。

（2）地域限制。

（3）行使范围限制。

15. 答：（1）在权利主体方面，著作权保护的主体是作品的创作者，而邻接权保护的主体是作品的传播者。

（2）在权利客体方面，著作权的客体是具有独创性的作品，而邻接权的客体是为了传播作品而赋予作品的传播形式。

（3）在保护时间方面，从世界各国知识产权制度产生发展的历史来看，法律对邻接权的保护晚于对著作权的保护。

16. 答：（1）违反国家法律、社会公德或者妨害公共利益的发明创造。

（2）不属于发明创造的智力成果。

（3）某些特定技术领域的发明创造。

17. 答：（1）开放式地制定标准。

（2）标准的制定要面向市场，为产业发展服务。

（3）标准要与技术创新相结合。

18. 答：（1）计算机犯罪造成的损失是无法比拟的。

（2）计算机犯罪对国家安全造成巨大威胁。

（3）计算机犯罪严重扰乱了社会治安。

19. 答：（1）两者的法律出处不同。前者是在 1979 年的《中华人民共和国民事诉讼法（试行）》中第一次提出；后者是在 1982 年的《中华人民共和国宪法》

中提出。

（2）两者法律特征不同。前者的法律特征是秘密性、价值性、实用性和保密性；后者的法律特征是国家秘密的本质特征是关系国家安全和利益的事项，保密工作是依照法定程序确定的，而且在一定时间内只限一定范围的人员知悉。

（3）两者的权利主体不同。前者的权利主体是不特定的民事主体，企事业单位或其他组织和个人都可能成为其主体；后者的权利主体是国家，国家是国家秘密的唯一拥有人。

（4）两者的确定程序不同。前者没有明确的程序，只要权利人自行明确即可；后者要经过法定程序确定，并且在《中华人民共和国保守国家秘密法》中规定了严格的确定程序。

（5）两者的标志不同。前者的分级与标志可以自行确定，但不得与国家秘密标志相同；后者可以分为秘密、机密和绝密三个等级。

（6）泄露后，危害的对象及所承担的法律责任不同。前者一旦被侵犯，会损害商业秘密权利人的利益，严重的会危及市场秩序，其责任人就构成不正当竞争行为，要分别承担民事责任、行政责任或刑事责任；后者一旦泄露，危害的对象是国家的安全和利益，其责任人除了要承担行政责任外，构成犯罪的还应承担刑事责任。

20. 答：（1）两者保护的范围不同。商业秘密的覆盖范围比专利宽，包括技术秘密和经营秘密；而专利覆盖的内容仅仅限定于技术秘密中的符合可专利性的内容。

（2）两者要求的条件不同。商业秘密要求的不为公众所知悉，只是一个相对的标准；而取得专利权的条件则有严格的限定。

（3）两者的法律特征不同。商业秘密从客观上要求必须是处于秘密状态，主观上还要求权利人必须采取了保密措施；而专利则是公开的，并且公开的程序还要求“使所属技术领域的技术人员能够实现为准”。

（4）两者取得确认的途径不同。商业秘密权自该商业秘密形成之日起就自然存在，权利人通过受让、继承等合法途径取得，无须任何部门审批；而专利权的取得、确认则必须经过国家专利审查部门依法审查，符合条件的才能被授予专利权。

（5）两者保护的期限不同。商业秘密的“寿命”可能很长，这完全取决于权利人的保密措施是否有效；而专利的保护期限则是法定的，《中华人民共和国专利法》第四十二条规定：“发明专利权的期限为二十年，实用新型专利和外观设计专利权的期限为十年。”

(6) 两者权利主体的数量不同。同一个商业秘密可以出现若干个不同的平行主体，只要其信息的来源是合法的，其都可以成为合法的权利人；而专利权则只能有一个权利主体。

(7) 两者的维持方式不同。维持商业秘密最有效的方式是自己采取有效的保密措施；而维持专利有效需要缴纳年费。

21. 答：(1) 区别：①形成过程和表现形式不完全相同。

②实施方式和范围不完全相同。

③作用的时效和影响作用过程不完全相同。

(2) 联系：①信息政策和信息法律具有本质上的同一性。

②信息政策是信息法律的重要基础。

③信息法律是保障信息法律政策得以贯彻和实施的重要法律手段。

22. 答：一般来说，构成国家秘密的基本要素有以下三个：

(1) 关系国家的安全和利益。

(2) 依照法定程序确定。

(3) 在一定时间内只限一定范围的人员知悉。

23. 答：知识产权具有下列特征：

(1) 专有性。

(2) 地域性。

(3) 时间性。

(4) 无形性。

(5) 可复制性。

24. 答：(1) 秘密性：要求其确切内容不为不负有义务的内行人知悉即可。

(2) 价值性：能为权利人带来经济利益，同时也是商业秘密侵权赔偿的重要前提。

(3) 实用性：该商业秘密必须具有现实的或潜在的使用价值。

(4) 保密性：经权利人采取了保密措施，强调权利人的主观保密意愿。

25. 答：(1) 商标专用权。这是商标权中最重要的内容。

(2) 商标续展权。

(3) 商标转让权。

(4) 商标许可使用权。

26. 答：（1）信息产业政策。

（2）信息技术政策。

（3）信息市场政策。

（4）信息投资政策。

（5）信息人才政策。

（6）国际信息交流政策。

27. 答：影响信息系统安全的因素有自然灾害和人为灾害。自然灾害是指由一些人类不可控制的因素引起的，如地震、火山爆发、洪水、台风、雷击等。人为灾害包括有意灾害和无意灾害。

28. 答：专利权是一种排他性的专有权，在一般情况下，未经专利权人许可是不得实施其专利的。为防止专利权人滥用权利，维护国家整体利益、公众利益和促进科学技术的发展，《中华人民共和国专利法》对专利权作了若干限制性的规定，出现以下五种情况时，不视为侵犯专利权：

（1）专利权用尽以后的使用或者销售。

（2）善意的使用或者销售。

（3）先用权。

（4）在外国运输工具运行中的使用。

（5）非生产经营目的的利用。

29. 答：信息技术标准化包括以下五个原则：

（1）整体最优。

（2）统一实用。

（3）协商一致。

（4）实验验证。

（5）稳定扩充。

30. 答：对软件著作权的主要权利限制如下：

（1）合理使用。

（2）强制使用。

（3）合法持有的特定权利。

（4）公共秩序保留。

31. 答：计算机犯罪分为以下两大类：

一类是直接以计算机信息系统为犯罪对象的犯罪，包括非法侵入计算机信息系统罪，破坏计算机信息系统功能罪，破坏计算机信息系统数据、应用程序罪，制作、传播计算机破坏程序罪。

另一类是以计算机为犯罪工具实施其他犯罪，如利用计算机实施金融诈骗、盗窃、挪用公款以及窃取国家机密、经济情报或商业秘密等。

32. 答：计算机信息网络对知识产权制度具有以下四点影响：

（1）网络技术的发展可以促进知识产权制度地位的提高。

（2）网络技术的发展可以促进知识产权权利主体的多元化和系统化。

（3）计算机信息网络的发展促使现有知识产权制度的自身变革和发展。

（4）计算机网络技术的进一步发展可以促进知识产权制度的国际化和趋同化。

33. 答：《报纸出版管理规定》明确了报纸出版行政管理部门实施的主要监管制度如下：

（1）报纸出版事后审读制度。

（2）报纸出版质量评估制度。

（3）报纸年度核验制度。

（4）从业人员资格管理制度。

34. 答：计算机软件著作权的权利如下：

（1）精神权利：发表权、开发者身份权。

（2）经济权：使用权、使用许可权、获得报酬权、转让权。

35. 答：世界各国保护数据库的方式如下：

（1）以编辑著作保护。

（2）在著作权法中单独作为作品的一种类型，而与文学、音乐、计算机程序等并列。

（3）单独立法加以保护。

36. 答：信息立法同其他立法工作一样，都离不开一定的基本准则或原则作为指导。信息立法的基本原则是指在信息立法中应当遵循的指导思想和方针，它是一个国家立法原则在信息活动领域中的具体表现，反映了信息立法工作的一般规律。它在立法过程中起着主导作用，其准确性和客观性可以决定各项具体信息法规的有效性和科学性。

这里所指的信息立法原则，是适用于各项具体的信息立法工作，是对信息立法工作的全过程而言的。因此，相对于更具体的信息立法活动来说，它们具有一般性、共同性，故将它们称为信息立法的基本原则。又由于在不同社会制度（如不同的政治制度、文化制度、经济制度或者历史传统等）的不同国家中，信息立法的基本原则是有差异的，而且在相同的国家中，信息立法的基本原则也不会一定不变，它也会随着信息立法经验的提高以及社会信息化发展对人们信息意识的影响而不断丰富和发展。因此，这里所指的信息立法的基本原则，只能就我国现阶段信息立法实践以及信息领域中现有的认识而言。

信息立法的基本原则包括：

（1）效益原则。

（2）实事求是原则。

（3）吸收借鉴原则。

（4）协调原则。

37. 答：专利权人的权利与义务如下：

（1）独占实施权。

（2）许可实施权。

（3）专利转让权。

（4）专利标记权。

（5）署名权。

（6）获得奖励和报酬的权利。

（7）公开发明创造的内容的义务。

（8）缴纳年费的义务。

38. 答：权利管理电子信息侵权的构成要件有以下三个方面：

（1）未经权利人许可。

（2）侵权人的主观上存在故意或者过失。

（3）行为人客观上存在删除或改变权利管理电子信息和向公众通过网络传播明知未经许可删除或改变权利管理电子信息的作品、表演、录音录像制品等载体的行为。

第三部分
近年自考试题汇编

四川省2013年4月高等教育自学考试
信息政策与法规 试卷

（课程代码 02133）

本试卷满分100分，考试时间150分钟。

总 分		题号	一	二	三	四	五	六
核分人		题分	15	10	12	20	28	15
复查人		得分						

得分	评卷人	复查人

一、单项选择题（本大题共15小题，每小题1分，共15分）在每小题列出的四个备选项中只有一个是符合题目要求的，请将其代码填写在题后的括号内。错选、多选或未选均无分。

1. 信息法制建设一般可以通过三个层次来实现，分别是法律、法规和（ ）。

A. 道德　　B. 纪律

C. 政策　　D. 规定

2. 信息法中的“信息”指的是（ ）。

A. 一切信息　　B. 一切社会信息

C. 一切自然信息　　D. 只能是有特点意义和范围的信息

3. 专利申请必须采取下列（ ）形式来办理。

A. 书面　　B. 口头说明

C. 提交实物　　D. 口头或书面

4. 在我国，自申请日起计算，实用新型专利权的期限为（　　）年。

A. 10　　B. 15

C. 20　　D. 30

5. 商标权中最重要的权利是（　　）。

A. 商标许可使用权　　B. 商标专用权

C. 商标续展权　　D. 商标转让权

6. 对于与公民合作的作品，其发表权和财产权保护期限截止于（　　）。

A. 作品首次发表之日起第 50 年的 12 月 30 日

B. 最后死亡的作者死亡后第 50 年的 12 月 31 日

C. 最先死亡的作者死亡后第 50 年的 12 月 31 日

D. 最先死亡的作者死亡后第 50 年的 1 月 1 日

7. 能成为软件著作权的原始主体的只能是（　　）。

A. 软件的创意者　　B. 软件的使用者

C. 软件的销售者　　D. 软件的开发者

8. 委托开发的计算机软件，如果委托人与受委托人之间无合同约定或者合同约定不明确的，该计算机软件归属于（　　）。

A. 委托人　　B. 委托人和受托人共有

C. 受托人　　D. 当作不明财产由国家享有

9. 我国《集成电路布图设计保护条例》规定，布图设计无论是否登记，自创作完成之日起（　　）年后将不再受保护。

A. 10　　B. 15

C. 20　　D. 25

10. 下面不属于信息技术产品和有关服务的标准化组织或机构的是（　　）。

A. OSI　　B. ISO

C. IEC　　D. ITU

11. 我国历史上第一部以政府名义颁布的图书馆法是（　　）。

A.《通行图书馆章程》

B.《中华人民共和国高校图书馆试行条例》

C.《图书馆规程》

D.《京师图书馆及各省图书馆通行章程》

12. 下列选项中，不属于国家秘密密级种类的是（ ）。

A. 绝密　　B. 保密

C. 机密　　D. 秘密

13. 不能作为商业秘密加以保护的是（ ）。

A. 计算机软件　　B. 加工工艺

C. 客户名单　　D. 构思、设计草图

14. 下列各国中，对隐私权采用间接保护的是（ ）。

A. 中国　　B. 美国

C. 加拿大　　D. 德国

15. 一般来说，信息系统安全主要包括（ ）两个方面。

A. 系统安全和设备安全　　B. 物理安全和逻辑安全

C. 软件安全和硬件安全　　D. 人员安全和设施安全

得分	评卷人	复查人

二、多项选择题（本大题共 5 小题，每小题 2 分，共 10 分）在每小题列出的五个备选项中至少有两个是符合题目要求的，请将其代码填写在题后的括号内。错选、多选、少选或未选均无分。

16. 一般来说，国家创制法律规范的主要方式有（ ）。

A. 制定　　B. 认可

C. 修改　　D. 接收

E. 借鉴

17. 狭义的知识产权范围包括（ ）。

A. 版权　　B. 工业产权

C. 劳动权　　D. 财产权

E. 教育权

18. 我国专利权客体的种类分为（ ）。

A. 发明　　B. 发现

C. 实用新型　　D. 外观设计

E. 外包装

19.《中华人民共和国著作权法》保护的作品范围包括（　　）。

A. 描写封建迷信的书籍　　B. 口述作品

C. 电影、电视、录像作品　　D. 计算机软件

E. 美术摄影作品

20. 信息技术标准化的原则包括（　　）。

A. 整体最优　　B. 统一实用

C. 协商一致　　D. 实验验证

E. 稳定扩充

得分	评卷人	复查人

三、名词解释题（本大题共 4 小题，每小题 3 分，共 12 分）

21. 商标权

22. 权利管理电子信息

23. 信息公开制度

24. 竞业避止

得分	评卷人	复查人

四、判断改错题（本大题共5小题，每小题4分，共20分）判断正误，在题后的括号内，正确的划上“√”，错误的划上“×”，并改正错误。

25. 任何国家的知识产权法只在该国领土上发生效力，对其他国家则不发生效力。（　　）

26. 真皮标志是中国皮革工业协会注册的证明商标，中国皮革工业协会对于该标志不可以自己使用，但可以许可符合条件的企业使用。 （ ）

27. 商标注册人将注册商标权仅许可一个被许可人使用，商标注册人依约定不得使用该商标，这种许可合同是排他使用许可。 （ ）

28. 突发事件的预警级别有四种，分别为一级、二级、三级和四级，其中四级为最高级别。 （ ）

29. 将计算机病毒的源代码予以公开的行为不构成制作、传播计算机病毒等破坏性程序罪。 （ ）

得分	评卷人	复查人

五、简答题（本大题共 4 小题，每小题 7 分，共 28 分）

30. 简述信息法制建设的重要意义。

31. 简述专利申请的原则。

32. 简述网络服务提供者在提供服务时的四种免除赔偿责任的情形。

33. 简述商业秘密的构成条件。

得分	评卷人	复查人

六、论述题（本大题共1小题，15分）

34. 试述信息政策与信息法律的区别与联系。

四川省2013年4月高等教育自学考试
信息政策与法规　试卷
参考答案

（课程代码　02133）

一、单项选择题（本大题共15小题，每小题1分，共15分）

1. C　2. D　3. A　4. A　5. B　6. D　7. D　8. C
9. B　10. B　11. D　12. B　13. D　14. A　15. B

二、多项选择题（本大题共5小题，每小题2分，共10分）

16. AB　17. AB　18. ACD　19. BCDE　20. ABCDE

三、名词解释题（本大题共4小题，每小题3分，共12分）

21. 商标权是商标法确认和保护的商标权人对其注册商标享有的专有权。(3分)

22. 权利管理电子信息是指说明作品及其作者、表演及其表演者、录音录像制品及其制作者的信息，作品、表演、录音录像制品权利人的信息和使用条件的信息，以及表示上述信息的数字或者代码。(3分)

23. 信息公开制度是一种承认公民对国家拥有的信息有公开请求权，国家对这种信息公开的请求有回答义务的制度。(3分)

24. 竞业避止又称竞业禁止或竞业限制，是指员工在原单位任职期间或离开原单位一定期限内，不得在与原单位有竞争关系的其他单位内任职，其表现形式是竞业避止合同，或称不竞争合同。(3分)

四、判断改错题（本大题共5小题，每小题4分，共20分）

25.（√）（4分）

26.（√）（4分）

27.（×）（2分）

改正：将“排他”改成“独占”。(2分)

28.（×）（2 分）

改正：将“四级”改为“一级”。（2 分）

29.（×）（2 分）

改正：将“不构成”改成“构成”。（2 分）

五、简单题（本大题共 4 小题，每小题 7 分，共 28 分）

30. 答：信息法制建设的意义主要体现在以下几个方面：

（1）从人类社会的发展历史来看，信息法制建设是社会发展的要求。（2 分）

（2）从技术与法律的关系来看，信息法制建设是信息技术应用的必然。（2 分）

（3）从财产权法律体系的发展历程来看，信息法制建设是财产法律体系的发展方向。（3 分）

31. 答：一件发明创造完成后，并不能自动获得专利权，需要履行一定的申请程序并经过严格的审查，才能授予专利权。《中华人民共和国专利法》规定了下述专利申请原则：

（1）书面原则。（2 分）

（2）先申请原则。（2 分）

（3）优先权原则。（2 分）

（4）单一性原则。（1 分）

32. 答：（1）提供自动接入服务、自动传输服务。（2 分）

（2）为提高网络传输效率提供自动存储服务。（2 分）

（3）提供信息存储空间。（2 分）

（4）提供搜索、链接服务。（1 分）

33. 答：在我国，一件信息是否符合商业秘密，必须分析该信息是否同时具备下列四个法律特征：

（1）秘密性。（2 分）

（2）价值性。（2 分）

（3）实用性。（2 分）

（4）保密性。（1 分）

六、论述题（本大题共 15 分）

34. 答题要点：信息政策与信息法律是国家管理信息资源的两种重要手段，两者的区别表现如下：

（1）形成过程和表现形式不完全相同。

（2）实施方式和范围不完全相同。

（3）作用的时效和影响作用过程不完全相同。

信息政策和信息法律在本质上是相同的，两者之间具有一种相辅相成、共同促进的关系。

（1）两者本质相同，都属于国家进行信息资源管理重要的调控手段，具有很强的规范性。

（2）信息政策是信息法律的重要基础。

（3）信息法律是保障信息政策得以贯彻和实施的重要法律手段。

评分参考：答题所用语句可以与参考答案不同，只要意思正确，就可给分。要点回答完整、阐述充分，可得满分；阐述一般，可得 10~13 分；没有阐述，可得 7~9 分；其他情况酌情给分。

四川省2014年1月高等教育自学考试
信息政策与法规 试卷

（课程代码 02133）

本试卷满分100分，考试时间150分钟。

总 分		题号	一	二	三	四	五	六
核分人		题分	15	10	12	20	28	15
复查人		得分						

得分	评卷人	复查人

一、单项选择题（本大题共20小题，每小题1分，共20分）在每小题列出的四个备选项中只有一个是符合题目要求的，请将其代码填写在题后的括号内。错选、多选或未选均无分。

1. 信息社会最基本和最重要的财产形式是（ ）。

A. 矿产和能源　　B. 石油和天然气

C. 知识和数据　　D. 土地和房产

2. 信息法制建设一般可以通过三个层次来实现，分别是（行政）法规、（政府）政策和（ ）。

A. 道德　　B. 纪律

C. 规定　　D. 法律

3. 信息产权的核心是（ ）。

A. 知识产权　　B. 专利权

C. 著作权　　D. 商标权

4. 对于职务发明创造，申请专利的权利属于（　　）。

A. 发明人　　B. 设计人

C. 发明人所在单位　　D. 发明人和所在单位

5. 我国外观设计专利权的期限为（　）年。

A. 10　　B. 15

C. 20　　D. 25

6. 商标权中最重要的权利是（　　）。

A. 专用权　　B. 续展权

C. 转让权　　D. 许可使用权

7. 我国的“安全认证标志”商标属于（　　）。

A. 集体商标　　B. 证明商标

C. 商品商标　　D. 数字商标

8.《中华人民共和国商标法》规定，注册商标的续展有效期为（　　）年。

A. 5　　B. 10

C. 15　　D. 20

9. 解决著作权纠纷最权威、最有效的方式为（　　）。

A. 调解　　B. 仲裁

C. 销毁　　D. 诉讼

10. 不属于著作权的合理使用情形的是（　　）。

A. 个人使用　　B. 教学使用

C. 文化机构使用　　D. 电视台改编制作节目使用

11. 委托开发的软件，无书面合同或合同未作明确约定的，著作权归（　　）。

A. 软件开发者享有　　B. 委托人享有

C. 受托人享有　　D. 委托人和受托人共同享有

12. 在商业方法专利中，申请量和授权量最多的是（　　）。

A. 网络交易类　　B. 金融类

C. 市场营销类　　D. 管理类

13. 我国布图设计专有权的保护期为（　　）年。

A. 5　　B. 10

C. 15　　D. 20

14. 对未来 3 个月内可能发生破坏性地震的时间、地点、震级的预报是（ ）。

A. 地震长期预报　　B. 地震中期预报

C. 地震短期预报　　D. 临震预报

15. 统计机构和统计人员享有的统计信息权不包括（ ）。

A. 统计公布权　　B. 统计调查权

C. 统计报告权　　D. 统计监督权

16.《中华人民共和国保守国家秘密法》的最大特点是（ ）。

A. 预防为主　　B. 重点突出

C. 奖惩分明　　D. 严惩重罚

17. 国家秘密的密级由低到高的排列顺序为（ ）。

A. 秘密、绝密、机密　　B. 秘密、机密、绝密

B. 绝密、机密、秘密　　D. 绝密、秘密、机密

18. 认定商业秘密的最基本条件是该技术信息或经营信息必须具有（ ）。

A. 秘密性　　B. 价值性

C. 实用性　　D. 保密性

19. 信息系统安全保护等级分为（ ）。

A. 二级　　B. 三级

C. 四级　　D. 五级

20. 计算机犯罪不具有的特点是（ ）。

A. 危害性大　　B. 隐蔽性强

C. 智能性高　　D. 犯罪黑数低

得分	评卷人	复查人

二、填空题（本大题共 5 小题，每小题 2 分，共 10 分）请在每小题的空格中填上正确答案，错填、不填均无分。

21. 从法律形态的角度看信息法律关系的主体主要是__________、__________和国家三类。

22. 根据《中华人民共和国著作权法》的规定，要成为著作权法保护的作品必

须具有___________性、___________性、可复制性、合法性和著作权法意义上的作品。

23. 在影响计算机信息系统安全的人为因素中，危害最大、最严重的是___________和___________。

24. 根据《中华人民共和国标准化法》的规定，我国信息技术标准分为___________标准、___________标准、地方标准和企业标准四级。

25. 对个人信息的保护可以采取三种方式，即___________、行业自律和___________。

得分	评卷人	复查人

三、判断改错题（本大题共5小题，每小题4分，共20分）判断正误，在题后的括号内，正确的划上“√”，错误的划上“×”，并改正错误。

26. 目前对计算软件最主要的法律保护是利用著作权法。（　　）

27. 知识产权是一种无形财产权。（　　）

28. 对于新产品制造方法的专利侵权申诉，由侵权人提供产品不是用专利方法而是用其他方法制造的证明。（　　）

29. 目前我国对公民隐私权采用的是直接保护方式。（　　）

30. 广告中表明推销商品、提供服务附带赠送礼品的，可以不标明赠送的品种和数量。（　　）

得分	评卷人	复查人

四、简答题（本大题共5小题，每小题6分，共30分）

31. 知识产权有哪些法律特征？

32. 简述《中华人民共和国专利法》中不授予专利权的客体。

33. 简述商标权的概念及内容。

34. 计算机软件著作权人享有的权利主要有哪些？

35. 侵犯国家秘密的基本犯罪类型有哪几种？

得分	评卷人	复查人

五、论述题（本大题共 2 小题，每小题 10 分，共 20 分）

36. 试述信息政策与信息法律的联系。

37. 试述商业秘密与国家秘密的区别。

四川省2014年1月高等教育自学考试
信息政策与法规　试卷
参考答案及评分细则
（课程代码02133）

一、单项选择题（本大题共20小题，每小题1分，共20分）

1. C　2. D　3. A　4. C　5. A　6. A　7. B　8. B
9. D　10. D　11. C　12. A　13. B　14. C　15. A　16. A
17. B　18. A　19. D　20. D

二、填空题（本大题共5小题，每小题2分，共10分）

21. 自然人（公民）　法人
22. 独创　表达
23. 计算机病毒　黑客
24. 国家　行业
25. 技术手段　立法规范

三、判断改错题（本大题共5小题，每小题4分，共20分）

26. (√)（4分）
27. (√)（4分）
28. (√)（4分）
29. (×)（2分）
改正：将“直接”改为“间接”。(2分)
30. (×)（2分）
改正：将“可以不”改为“应当”。(2分)

四、简单题（本大题共5小题，每小题6分，共30分）

31. 答：知识产权相对于一般的财产所有权，具有以下特征：

（1）专有性。(2分)

（2）地域性。(1分)

（3）时间性。(1分)

（4）无形性。(1分)

（5）可复制性。(1分)

32. 答：（1）违反国家法律、社会公德或者妨碍公共利益的发明创造。

（2）违反科学规律的发明。

（3）科学发现。

（4）智力活动的规律和方法。

（5）疾病的诊断和治疗方法。

（6）动植物新品种。

（7）用原子核变换方法获得的物质。

评分参考：每个要点1分，答对6个以上得满分6分。

33. 答：商标权是商标法确认和保护的商标权人对其注册商标享有的专有权。(2分）其内容包括商标权和与之相联系的商标专有权（1分）、商标续展权（1分）、商标转让权（1分）、商标许可使用权等项权利（1分）。

34. 答：我国计算机软件著作权保护的权利内容包括发表权、署名权、修改权、复制权、发行权、出租权、信息网络传输权、翻译权以及应当由软件著作权人享有的其他权利。

评分参考：每个要点1分，答对6个以上得满分6分。

35. 答：（1）非法获取国家秘密罪。

（2）非法持有国家秘密罪。

（3）泄露国家秘密罪。

（4）向境外非法提供国家秘密罪。

（5）非法获取军事秘密罪。

（6）泄露国家秘密罪。

（7）为境外非法提供军事秘密罪。

评分参考：每个要点1分，答对6个以上得满分6分。

五、论述题（本大题共 2 小题，每小题 10 分，共 20 分）

36. 信息政策和信息法律在本质上是相同的，两者之间具有一种相辅相成、共同促进的关系。

（1）本质相同，都属于国家进行信息资源管理重要的调控手段，具有很强的规范性。

（2）信息政策是信息法律的重要基础。

（3）信息法律是保障信息政策得以贯彻和实施的重要法律手段。

评分参考：答题所用语句可以与参考答案不同，只要意思正确，就可给分。要点回答完整、阐述充分，可得满分；阐述一般，可得 7~8 分；没有阐述，可得 5~6 分；其他情况酌情给分。

37. 答题要点：

（1）法律出处不同。

（2）法律特征不同。

（3）权利主体不同。

（4）确定程序不同。

（5）标志不同。

（6）一旦泄露危害的对象以及所承担的法律责任不同。

评分参考：答题所用语句可以与参考答案不同，只要意思正确，就可给分。要点回答完整、阐述充分，可得满分；阐述一般，可得 7~8 分；没有阐述，可得 5~6 分；其他情况酌情给分。

四川省2014年4月高等教育自学考试
信息政策与法规　试卷

（课程代码02133）

一、单项选择题（本大题共15题，每小题1分，共15分）在每题列出的四个备选项中只有一个是符合题目要求的，请将其代码填写在题后的括号内。错选、多选或未选均无分。

1. 信息社会最基本和最重要的财产形式是（　　）。

A. 知识和数据　　B. 土地和房产
C. 矿产和能源　　D. 石油和天然气

2. 信息法的核心是（　　）。

A. 确保信息的合理使用　　B. 信息法律主体的权利
C. 信息法律主体的义务　　D. 信息法律主体的权利与义务

3. 我国外观设计专利权的期限为（　　）年。

A. 10　　B. 15
C. 20　　D. 25

4. “不限制专利权人自己实施，也不排除专利权人在同样条件下与其他人签订专利实施许可合同的”是（　　）。

A. 普通许可合同　　B. 独家许可合同
C. 独占许可合同　　D. 分许可合同

5. 商标权中最重要的权利是（　　）。

A. 专用权　　B. 续展权
C. 转让权　　D. 许可使用权

6. 信息产权的核心是（　　）。

A. 知识产权　　B. 专利权

C. 著作权　　D. 商标权

7. 根据《中华人民共和国著作权法》的规定，公民作品的发表权和财产权的保护期为（　　）。

A. 作者终生及其死亡后25年，截止于作者死亡后第25年的12月31日

B. 作者终生及其死亡后25年，截止于作者死亡后第25年的1月1日

C. 作者终生及其死亡后50年，截止于作者死亡后第25年的12月31日

D. 作者终生及其死亡后50年，截止于作者死亡后第25年的1月1日

8. 不属著作权的合理使用情形的是（　　）。

A. 个人使用　　B. 教学使用

C. 新闻报道使用　　D. 电视台改编制作节目使用

9. 解决著作权纠纷最权威、最有效的方式为（　　）。

A. 调解　　B. 仲裁

C. 销毁　　D. 诉讼

10.《计算机软件条例》规定，自然人的软件著作权保护期为（　　）。

A. 自然人终生　　B. 自然人终生及死亡后20年

C. 自然人终生及死亡后50年　　D. 无限期

11. 最早提出对软件给予专利保护的国家是（　　）。

A. 英国　　B. 美国

C. 德国　　D. 日本

12. 我国布图设计专有权的保护期为（　　）年。

A. 5　　B. 10

C. 15　　D. 20

13. 对未来10年内可能发生破坏性地震的地域的预报是（　　）。

A. 地震长期预报　　B. 地震中期预报

C. 地震短期预报　　D. 临震预报

14. “机密级”国家秘密的保密期限一般不超过（　　）年。

A. 10　　B. 20

C. 30　　D. 40

15.《中华人民共和国保守国家秘密法》的保护对象是（　　）。

A. 国家秘密　　B. 商业秘密

C. 技术秘密　　D. 个人隐私

二、多项选择题（本大题共5小题，每小题2分，共10分）在每小题列出的五个备选项中至少有两个是符合题目要求的，请将其代码填写在题后的括号内。错选、多选、少选或未选均无分。

16. 信息法律关系的构成要素包括（　　）。

A. 法律　　B. 法规

C. 主体　　D. 客体

E. 内容

17. 商业方法专利的主要类型包括（　　）。

A. 网络交易类　　B. 金融类

C. 市场营销类　　D. 管理类

E. 广告发布类

18. 我国信息技术标准划分为（　　）。

A. 国际标准　　B. 国家标准

C. 行业标准　　D. 地主标准

E. 企业标准

19. 气象信息服务的方式有（　　）。

A. 报纸杂志　　B. 声讯电话

C. 手机短信　　D. 电子邮件

E. 广播电视

20. 广告应遵循的基本原则有（　　）。

A. 真实性原则　　B. 合法性原则

C. 符合精神文明建设的原则　　D. 及时原则

E. 美观原则

三、名词解释题（本大题共3小题，每小题3分，共9分）

21. 著作权

22. 信息公开制度

23. 隐私权

四、判断改错题（本大题共4小题，每小题4分，共16分）判断正误，在题后的括号内，正确的划上“√”，错误的划上“×”，并改正错误。

24. 信息法必须依据宪法制定，并不得与宪法相抵触。（ ）

25. 专利申请者只能通过专利代理机构进行专利申请。（ ）

26. 集体商标与证明商标的商标注册人享有商标所有权，自己可使用该商标。（ ）

27. 广告中表明推销商品、提供服务附带赠送礼品的，可以不标明赠送的品种和数量。（ ）

五、简答题（本大题共6小题，每小题6分，共36分）

28. 简述信息政策与信息法律的区别与联系。

29. 简述专利权人的权利与义务。

30. 简述要成为著作权法保护的作品的构成条件。

31. 简述权利管理电子信息侵权的构成要件。

32. 报纸出版行政管理部门实施的监管制度主要有哪些?

33. 侵犯国家秘密的基本犯罪类型有哪几种?

六、论述题（本大题共1小题，14分）

34. 试述商业秘密的管理措施。

四川省2014年4月高等教育自学考试
信息政策与法规　试卷
参考答案及评分细则

（课程代码02133）

一、单项选择题（本大题共15小题，每小题1分，共15分）

1. A　2. D　3. A　4. A　5. A　6. A　7. C　8. D

9. D　10. C　11. B　12. B　13. A　14. B　15. A

二、多项选择题（本大题共5小题，每小题2分，共10分）

16. CDE　17. ABCD　18. BCDE　19. ABCDE　20. A BC

三、名词解释题（本大题共3小题，每小题3分，共9分）

21. 著作权也称版权，是指作者或其他著作权人依法对文学、艺术或科学作品享有的各项专有权利的总称。(3分)

22. 信息公开制度是一种承认公民对国家拥有的信息有公开请求权，国家对这种信息公开的请求有回答义务的制度。(3分)

23. 隐私权是指自然人享有的私人生活的安宁与私人信息秘密依法受到保护，不被他人非法侵扰、知悉、收集、利用和公开的一种人格权。(3分)

四、判断改错题（本大题共4小题，每小题4分，共16分）

24. (√)（4分）

25. (×)（2分）

改正：可以自行申请，也可以委托专利代理机构办理。(2分)

26. (×)（2分）

改正：自己不使用该商标。(2分)

27. (×)（2分）

改正：应当标明。(2分)

（打“√”的题，判断正确，给4分；判断错误则不得分。打“×”的题，判断正确给2分，改错部分描述正确给2分。判断错误，该小题不得分；改正错误，该小题不得改错分）

五、简答题（本大题共6小题，每小题6分，共36分）

28. 答：信息政策与信息法律是国家管理信息资源的两种重要手段，两者的区别表现如下：

（1）形成过程和表现形式不完全相同。（1分）

（2）实施方式和范围不完全相同。（1分）

（3）作用的时效和影响作用过程不完全相同。（1分）

信息政策和信息法律在本质上是相同的，两者之间具有一种相辅相成、共同促进的关系。

（1）两者具有本质上的同一性，都属于国家进行信息资源管理的重要调控手段，具有很强的规范性。（1分）

（2）信息政策是信息法律的重要基础。（1分）

（3）信息法律是保障信息政策得以贯彻和实施的重要法律手段。（1分）

（完全按参考答案描写，或者答案顺序可颠倒，按答题要点的分值给分；其余答案酌情给分。）

29. 答：专利权人的权利与义务如下：

（1）独占实施权。

（2）许可实施权。

（3）专利转让权。

（4）专利标记权。

（5）署名权。

（6）获得奖励和报酬的权利。

（7）公开发明创造的内容的义务。

（8）缴纳年费的义务。

（每个要点1分，答对6个及以上要点得满分6分。）

30. 答：要成为著作权法保护的作品，无论作品是否公开发表，根据《中华人民共和国著作权法》的要求，一般必须具备：

（1）独创性。

（2）表达性。

（3）可复制性。

（4）合法性。

（5）是著作权法意义上的作品。

（每个要点 1 分，答对全部 5 个要点得满分 6 分。）

31. 答：权利管理电子信息侵权的构成要件有以下三个方面：

（1）未经权利人许可。（2 分）

（2）侵权人的主观上存在故意或者过失。（2 分）

（3）行为人客观上存在删除或改变权利管理电子信息和向公众通过网络传播明知未经许可删除或改变权利管理电子信息的作品、表演、录音录像制品等载体的行为。（2 分）

（完全按参考答案描写，或者答案顺序可颠倒，按答题要点的分值给分；其余答案酌情给分。）

32. 答：《报纸出版管理规定》明确了报纸出版行政管理部门实施的主要监管制度，包括：

（1）报纸出版事后审读制度。（2 分）

（2）报纸出版质量评估制度。（2 分）

（3）报纸年度核验制度。（1 分）

（4）从业人员资格管理制度。（1 分）

33. 答：（1）非法获取国家秘密罪。

（2）非法持有国家秘密罪。

（3）泄露国家秘密罪。

（4）向境外非法提供国家秘密罪。

（5）非法获取军事秘密罪。

（6）泄漏国家军事秘密罪。

（7）为境外非法提供军事秘密罪。

（每个要点 1 分，答对 6 个及以上要点得满分 6 分。）

六、论述题（本大题共 1 小题，每小题 14 分，共 14 分）

34. 答题要点：（1）在权利主体内加强思想性的防范措施。

（2）在权利主体的内部建立严格的保密规章制度。

(3) 尽可能限制商业秘密的知悉范围。

(4) 保密合同或协议中的保密条款。

评分参考：(1) 答题所用词语、句式与参考答案不同，只要意思正确，就可给分。

(2) 要点回单完整、阐述充分，可得满分；阐述一般，可得 9~12 分；没有阐述，可得 7~9 分。

(3) 要点回答不完整，但论述较好，可视情况酌情给分。

四川省 2015 年 1 月高等教育自学考试
信息政策与法规　试卷

（课程代码 02133）

一、单项选择题（本大题共 15 小题，每小题 1 分，共 15 分）

1. 信息活动中最重要、最基本的信息主体是（　　）。

A. 公民　　B. 法人

C. 国家　　D. 外国人

2. 信息法制建设一般可以通过三个层次来实现，分别是法律、法规和（　　）。

A. 道德　　B. 纪律

C. 规定　　D. 政策

3. 应该将信息法作为一个独立的部门法对待的最主要根据是（　　）。

A. 部门法的划分是相对的　　B. 信息法有着特定的调整对象

C. 信息法建设已取得巨大进展　　D. 信息法的兴起是历史的必然

4. 我国实用新型专利权的期限为（　　）年。

A. 10　　B. 15

C. 20　　D. 25

5. “专利权人允许被许可人在一定时间和范围内独占使用其专利权”的是（　　）。

A. 普通许可合同　　B. 独家许可合同

C. 独占许可合同　　D. 分许可合同

6. 商标最基本的功能或作用是（　　）。

A. 认知　　B. 品质保证

C. 广告　　D. 美观

7.《中华人民共和国商标法》规定，自核准注册之日起计算，注册商标的有效期为（　　）年。

A. 5　　B. 10

C. 15　　D. 20

8. 著作权的限制实际上主要是限制著作权的（　　）。

A. 发表权　　B. 署名权

C. 修改权　　D. 财产权

9. 目前世界上对计算机软件最主要的法律保护方式是利用（　　）。

A. 商标法　　B. 专利法

C. 著作权法　　D. 商业秘密法

10. 保护集成电路知识产权的重点在于保护（　　）。

A. 布图设计　　B. 构形

C. 制造工艺　　D. 元器件

11. 根据《中华人民共和国档案法》的规定，中华人民共和国成立以来形成的档案，一般应当（　　）。

A. 自《中华人民共和国档案法》实施之日起向社会开放

B. 自档案发布之日起向社会开放

C. 自形成之日起满 10 年向社会开放

D. 自形成之日起满 30 年向社会开放

12. 对未来 1~2 年内可能发生破坏性地震的地域和强度的预报是（　　）。

A. 地震长期预报　　B. 地震中期预报

C. 临震预报　　D. 地震短期预报

13“秘密级”国家秘密的保密期限一般不超过（　　）年。

A. 10　　B. 20

C. 30　　D. 40

14. 认定商业秘密的最基本条件是该技术信息或经营信息必须具有（　　）。

A. 秘密性　　B. 价值性

C. 实用性　　D. 保密性

15. 信息系统安全保护等级分为（　　）。

A. 二级　　B. 三级

C. 四级　　D. 五级

二、多项选择题（本大题共5小题，每小题2分，共10分）

16. 从法律形态的角度，可以把信息主体分为（　　）。

A. 国家　　B. 法人

C. 自然人　　D. 事业单位

E. 企业

17. 属于我国商标法定构成要素的有（　　）。

A. 图形　　B. 字母

C. 数字　　D. 三维标志

E. 颜色组合

18. 与信息技术标准化相关的国际组织有（　　）。

A. 国际标准化组织（ISO）　　B. 国际电工委员会（IEC）

C. 国际电信联盟（ITU）　　D. 国际电报电话咨询委员会(CCITT)

E. 第一联合技术委员会（JTC1）

19. 统计信息权包括（　　）。

A. 统计使用权　　B. 统计公布权

C. 统计调查权　　D. 统计报告权

E. 统计监督权

20. 在我国，一件信息要成为商业秘密，必须分析其是否同时具备以下（　　）法律特征。

A. 新颖性　　B. 秘密性

C. 价值性　　D. 实用性

E. 保密性

三、名词解释题（本大题共3小题，每小题3分，共9分）

21. 权利管理电子信息

22. 突发事件

23. 电信普遍服务

四、判断改错题（本大题共4小题，每小题4分，共16分）

24. 信息法律与信息政策作为国家调节信息活动产生的社会关系的两种重要手段，在本质上是不相同的。（　　）

25. 在我国，可以就新型电视机的制造方法提出实用新型专利申请。（　　）

26.《中华人民共和国商标法》规定，一份申请只能申请一个商标，不能在一份申请中有两个或两个以上商标。（　　）

27. 可以在车站候车室、影剧院以及体育比赛场馆设置烟草广告。（　　）

五、简答题（本大题共6小题，每小题6分，共36分）

28. 简述信息法制建设的重要意义。

29. 知识产权有哪些法律特征？

30. 简述注册商标应当具备的备件。

31. 简述著作权的法定许可与合理使用的区别。

32. 简述网络服务提供者在提供服务时四种免除赔偿责任的情形。

33. 简述计算机犯罪的特点。

六、论述题（本大题共 14 分）

34. 试述商业秘密与国家秘密的区别。

四川省2015年1月高等教育自学考试
信息政策与法规　试卷
参考答案及评分细则

（课程代码02133）

一、单项选择题（本大题共15小题，每小题1分，共15分）

1. A　2. D　3. B　4. A　5. C　6. A　7. B　8. D
9. C　10. A　11. D　12. B　13. A　14. A　15. D

二、多项选择题（本大题共5小题，每小题2分，共10分）

16. ABC　17. ABCDE　18. ABCDE　19. CDE　20. BCDE

三、名词解释题（本大题共3小题，每小题3分，共9分）

21. 权利管理电子信息是指说明作品及其作者、表演及其表演者、录音录像制品及其制作者的信息，作品、表演、录音录像制品权利人的信息和使用条件的信息，以及表示上述信息的数字或者代码。(3分)

22. 突发事件是指突然发生，造成或者可能造成严重社会危害，需要采取应急处置措施予以应对的自然灾害、事故灾害、公共卫生事件和社会安全事件。(3分)

23. 电信普遍服务是指任何人在任何地方、任何时候都能以承担得起的价格享受电信业务，而且运营商的服务质量和资费一视同仁。(3分)

四、判断改错题（本大题共4小题，每小题4分，共16分）

24. (×)（2分）

改正：将“不相同”改为“相同”。(2分)

25. (×)（2分）

改正：将“实用新型”改为“发明”。(2分)

26. (√)（4分）

27. (×)（2分）

改正：禁止在车站候车室、影剧院以及体育比赛场馆设置烟草广告。（2 分）

五、简述题（本大题共 6 小题，每小题 6 分，共 36 分）

28. 答：（1）从人类社会的发展历史来看，信息法制建设是社会发展的要求。（2 分）

（2）从技术与法律的关系来看，信息法制建设是信息技术应用的必然。（2 分）

（3）从财产权法律体系的发展历程来看，信息法制建设是财产法律体系的发展方向。（2 分）

29. 答：知识产权相对于一般的财产所有权，具有的特征如下：

（1）专有性。

（2）地域性。

（3）时间性。

（4）无形性。

（5）可复制性。

（评分参考：每个要点 1 分，答对全部要点得满分 6 分。）

30. 答：商标权的客体必须具备法定条件，否则不得注册，《中华人民共和国商标法》对申请注册商标的要求如下：

（1）商标必须具备法定的构成要素。（2 分）

（2）商标必须具有显著性。（2 分）

（3）商标不能使用法律禁止使用的标志。（2 分）

31 答：（1）法定许可需向著作权人支付报酬，合理使用是免费使用。（2 分）

（2）法定许可有附加条件，而合理使用是无条件地使用。（2 分）

（3）法定许可在使用目的上具有商业性，而合理使用只限于非商业性目的。（2 分）

32. 答：（1）提供自动接入服务、自动传输服务。（2 分）

（2）为提高网络传输效率提供自动存储服务。（2 分）

（3）信息存储空间。（1 分）

（4）提供搜索、链接服务。（1 分）

33. 答：与传统的犯罪类型相比，计算机犯罪具有以下特点：

（1）危害特别大。

（2）隐蔽性特别强。

（3）智能性高。

（4）连续性强。

（5）侦查取证难。

（6）犯罪黑数高。

（评分参考：每个要点 1 分，答对全部要点得满分 6 分。）

六、论述题（本大题共 14 分）

34. 答题要点：商业秘密与国家秘密的区别主要体现如下：

（1）法律出处不同。

（2）法律特征不同。

（3）权利主体不同。

（4）明确程序不同。

（5）标志不同。

（6）一旦泄露危害的对象以及所承担的法律责任不同。

（评分参考：答题所用语句与参考答案不同，只要意思正确，就可给分。要点回答完整、阐述充分，可得满分；阐述一般，可得 9~11 分；没有阐述，可得 7~8 分；其他情况酌情给分。）

四川省2016年1月高等教育自学考试
信息政策与法规　试卷

（课程代码02133）

一、单项选择题（本大题共20小题，每小题1分，共20分）在每小题列出的四个备选项中只有一个是符合题目要求的，请将其代码填写在题后的括号内。错选、多选或未选均无分。

1. 应该将信息法作为一个独立的部门法对待的最主要根据是（　　）。

A. 部门法的划分是相对的　　B. 信息法有着特定的调整对象

C. 信息法建设已取得巨大进展　　D. 信息法的兴起是历史的必然

2. 信息活动中最重要、最基本的信息主体是（　　）。

A. 自然人　　B. 法人

C. 国家　　D. 外国人

3. 知识产权法律制度的三大支柱是专利权、商标权和（　　）。

A. 财产权　　B. 公开权

C. 知情权　　D. 著作权

4. 在我国各类专利授权中，专利稳定性最好的是（　　）。

A. 发明专利　　B. 实用新型专利

C. 外观设计专利　　D. 视情况而定

5. 我国实用新型专利权的期限为（　　）年。

A. 10　　B. 15

C. 20　　D. 25

6. “纯羊毛标志”是（　　）。

A. 集体商标　　B. 证明商标

C. 商品商标　　D. 数字商标

7. 作品的作者必须是（　　）。

A. 直接参与创作的自然人　　B. 为创作进行组织工作的人

C. 为创作提供咨询意见的人　　D. 为创作提供物质条件的人

8.《中华人民共和国著作权法》规定，合著作品的发表权和财产权的保护期为（　　）。

A. 最先死亡的作者死亡后第 50 年的 12 月 31 日

B. 最后死亡的作者死亡后第 50 年的 12 月 31 日

C. 最先死亡的作者死亡后第 50 年的 1 月 1 日

D. 最后死亡的作者死亡后第 50 年的 1 月 1 日

9. 在商业方法专利中，申请量和授权量最多的是（　　）。

A. 网络交易类　　B. 金融类

C. 市场营销类　　D. 管理类

10. 目前对计算机软件最主要的法律保护方式是利用（　　）。

A. 商标法　　B. 专利法

C. 著作权法　　D. 商业秘密法

11.《计算机软件保护条例》规定，自然人的软件著作权保护期为（　　）。

A. 自然人终生　　B. 自然人终生及死亡后 20 年

C. 自然人终生及死亡后 50 年　　D. 无限期

12. 最早提出对软件给予专利保护的国家是（　　）。

A. 英国　　B. 美国

C. 德国　　D. 日本

13.《集成电路布图设计保护条例》规定，无论是否登记或者投入使用，布图设计自创作完成之日起（　　）年后，不再受其保护。

A. 5　　B. 10

C. 15　　D. 20

14. 我国真正意义上的政府信息公开法是 2007 年 1 月 17 日国务院通过的（　　）。

A.《中华人民共和国立法法》

B.《中华人民共和国行政许可法》

C.《中华人民共和国行政处罚法》

D.《中华人民共和国政府信息公开条例》

15. 对未来10年内可能发生破坏性地震的地域的预报是（　　）。

A. 地震长期预报　　B. 地震中期预报

C. 地震短期预报　　D. 临震预报

16. “绝密级”国家秘密的保密期限一般不超过（　　）年。

A. 10　　B. 20

C. 30　　D. 40

17. 在下列侵犯国家秘密的基本犯罪类型中，犯罪主体为特殊主体的是（　　）。

A. 非法获取国家秘密罪　　B. 非法持有国家秘密罪

C. 泄露国家秘密罪　　D. 向境外非法提供国家秘密罪

18. 隐私权的核心内容是（　　）。

A. 对自己的隐私可依照自己的意志进行支配

B. 隐私权受环境的影响，应有条件地使用

C. 在一定范围内可自由使用

D. 在一定时间内可自由使用

19. 在影响计算机信息系统案例的人为因素中，危害最大、最严重的是（　　）。

A. 非法侵入或破坏　　B. 计算机病毒和黑客

C. 机器故障及火灾　　D. 失误操作

20. 世界上第一个对互联网应用行为规范提出法律约束的国家是（　　）。

A. 美国　　B. 日本

C. 英国　　D. 德国

二、填空题（本大题共5小题，每小题2分，共10分）请在每小题的空格中填上正确答案，错填、不填均无分。

21. 国家创制法律规范的方式主要有__________和__________两种。

22. 根据《中华人民共和国专利法》的规定，发明或实用新型要取得专利权，应当具有__________性、__________性和实用性，缺一不可。

23. 信息法与宪法是________________与________________的关系。

24. 根据《中华人民共和国著作权法》中的表述，受著作权法保护的客体就是__________，著作权原始主体就是__________。

25. 计算机犯罪与传统犯罪相比较，具有危害性特别大、隐蔽性特别强、__________高、连续性强、侦查取证难以及__________高等特点。

三、判断改错题（本大题共5小题，每小题4分，共20分）判断正误，在题后的括号内，正确的划上“√”，错误的划上“×”，并改正错误。

26. 信息法律的基本的功能是导向，主要是通过思想工作和说服教育的方式来实现。（ ）

27. 任何国家的知识产权法只在该国领域内发生效力，对其他国家则不发生效力。（ ）

28. 在我国，一份商标申请文件可以申请多个商标。（ ）

29. 认定商业秘密的最基本条件是该技术信息或经营信息必须具有秘密性。（ ）

30. 信息公开制度是一种承认公民对国家拥有的信息有公开请求权，国家对这种信息公开的请求有回答义务的制度。　　（　　）

四、简答题（本大题共5小题，每小题6分，共30分）

31. 简述申请注册商标的法定条件。

32. 我国信息技术标准分为哪几个等级？

33. 简述网络服务提供者在提供服务时四种免除赔偿责任的情形。

34. 简述经营者在保护消费者获取信息权利方面的义务。

35. 简述商业秘密的构成条件。

五、论述题（本大题共2小题，每小题10分，共20分）

36. 试述信息政策与信息法律的区别。

37. 试述著作权的内容。

四川省2016年1月高等教育自学考试
信息政策与法规　试卷
参考答案及评分细则

（课程代码02133）

一、单项选择题（本大题共20小题，每小题1分，共20分）

1. B　2. A　3. D　4. A　5. A　6. B　7. A　8. B
9. A　10. C　11. C　12. B　13. C　14. D　15. A　16. C
17. C　18. A　19. B　20. D

二、填空题（本大题共5小题，每题2分，共10分）

21. 制定　认可
22. 新颖　创造
23. 普通法　根本法
24. 作品　作者
25. 智能性　犯罪黑数

三、判断改错题（本大题共5小题，每小题4分，共20分）

26. ×（2分）
改正：将“信息法律”改为“信息政策”。（2分）
27. √（4分）
28. ×（2分）
改正：将“可以申请多个”改为“只能申请一个”。（2分）
29. √（4分）
30. √（4分）

四、简答题（本大题共5小题，每小题6分，共30分）

31. 答：商标权的客体必须具备法定条件，否则不得注册，《中华人民共和国商标法》对申请注册商标的要求如下：

（1）商标必须具备法定的构成要素。（2分）

（2）商标必须具有显著性。（2分）

（3）商标不能使用法律禁止使用的标志。（2分）

32. 答：根据《中华人民共和国标准化法》的规定，我国信息技术标准分为国家标准（2分）、行业标准（2分）、地方标准（1分）、企业标准（1分）四级。

33. 答：（1）提供自动接入服务、自动传输服务。（2分）

（2）为提高网络传输效率提供自动存储服务。（2分）

（3）信息存储空间。（1分）

（4）提供搜索、链接服务。（1分）

34. 答：（1）向消费者作出真实性说明和明确警示的义务。（2分）

（2）向消费者提供有关商品或服务的真实信息的义务。（2分）

（3）应当标明经营者真实名称和标记的义务。（1分）

（4）应当保证实际提供的商品或服务具有与其表明相符的义务。（1分）。

35. 答：在我国，要认定一件信息是否符合商业秘密，必须分析该信息是否同时具备秘密性（2分）、价值性（2分）、实用性（1分）和保密性（1分）四个法律特征。

五、论述题（本大题共2小题，每小题10分，共20分）

36. 答：信息政策与信息法律是国家管理信息资源的两种重要手段，两者的区别表现如下：

（1）形成过程和表现形式不完全相同。

（2）实施方式和范围不完全相同。

（3）作用的时效和影响作用过程不完全相同。

（评分参考：答题所用语句可以与参考答案不同，只要意思正确，就可给分。要点回答完整、阐述充分，可得满分；阐述一般，可得7~8分；没有阐述，可得5~6分；其他情况酌情给分。）

37. 答：（1）著作权属于民事权利，主要包括人身权利和财产权利两方面的内容。

（2）著作权中的人身权利也称为精神权利，是指作者因创作作品而依法享有的与人格、精神、名誉、荣誉等紧密相连的某些专有权利。

（3）根据《中华人民共和国著作权法》的规定，著作权中的人身权利的内容包括发表权、署名权、修改权和保护作品完整权。

（4）著作权中的财产权利也称为经济权利，是指著作权人许可他人使用或他人依法利用其作品，而使著作权人获得一定经济权益的权利。

（5）根据《中华人民共和国著作权法》的规定，著作权中的财产权包括复制权、发行权、出租权、展览权、表演权、放映权、广播权、信息网络传播权、摄制权、改编权、翻译权、汇编权以及应当由著作权人享有的其他权利。

（评分参考：答题所用语句可以与参考答案不同，只要意思正确，就可给分。要点回答完整、阐述充分，可得满分；阐述一般，可得 7~8 分；没有阐述，可得 5~6 分；其他情况酌情给分。）

四川省2016年4月高等教育自学考试
信息政策与法规 试卷

（课程代码02133）

一、单项选择题（本大题共20小题，每小题1分，共20分）在每小题列出的四个备选项中只有一个是符合题目要求的，请将其代码填写在题后的括号内。错选、多选或未选均无分。

1. 被称为现代社会的三大支柱的是物资、能源和（　　）。

A. 土地　　B. 资本

C. 信息　　D. 矿产

2. 信息法的核心是（　　）。

A. 确保信息的合理使用　　B. 信息法律主体的权利

C. 信息法律主体的义务　　D. 信息法律主体的权利与义务

3. 知识产权作为一种无形财产权利，其术语产生于18世纪的（　　）。

A. 美国　　B. 德国

C. 英国　　D. 法国

4. 以下属于发明创造的智力成果的是（　　）。

A. 计算机软件　　B. 科学发现

C. 游戏规则　　D. 疾病的诊断和治疗方法

5. 我国发明专利权的期限为（　　）年。

A. 10　　B. 15　　C. 20　　D. 25

6. 我国商标法的核心是保护（　　）。

A. 商标转让权　　B. 商标续展权

C. 商标许可使用权　　D. 商标专用权

7.《中华人民共和国商标法》规定，自核准注册之日起计算，注册商标的有效期为（　　）年。

A. 5　　B. 10　　C. 15　　D. 20

8.《中华人民共和国著作权法》规定，公民作品的发表权和财产权的保护期为（　　）。

A. 作者终生及其死亡后 25 年，截止于作者死亡后第 25 年的 12 月 31 日

B. 作者终生及其死亡后 25 年，截止于作者死亡后第 25 年的 1 月 1 日

C. 作者终生及其死亡后 50 年，截止于作者死亡后第 50 年的 12 月 31 日

D. 作者终生及其死亡后 50 年，截止于作者死亡后第 25 年的 1 月 1 日

9. 解决著作权纠纷最权威、最有效的方式为（　　）。

A. 调解　　B. 仲裁

C. 销毁　　D. 诉讼

10. 软件著作权保护的是（　　）。

A. 算法　　B. 计算机程序

C. 程序源代码　　D. 计算机程序和有关文档

11. 职务开发软件的著作权归（　　）。

A. 软件开发者享有　　B. 软件开发者所在单位享有

C. 软件开发者和单位共同享有　　D. 国家享有

12. 保护集成电路知识产权的重点在于保护（　　）。

A. 布图设计　　B. 构形

C. 制造工艺　　D. 元器件

13. 在我国，国家标准的有效期为（　　）年。

A. 5　　B. 10　　C. 15　　D. 20

14. 根据《中华人民共和国档案法》的规定，中华人民共和国成立以来形成的档案，一般应当（　　）。

A. 自《中华人民共和国档案法》实施之日起向社会开放

B. 自档案发布之日起向社会开放

C. 自形成之日起满 10 年向社会开放

D. 自形成之日起满 30 年向社会开放

15. 对未来 1~2 年内可能发生破坏性地震的地域和强度的预报是（　　）。

A. 地震长期预报　　B. 地震中期预报

C. 地震短期预报　　D. 临震预报

16. “机密级”国家秘密的保密期限一般不超过（　　）年。

A. 10　　B. 20　　C. 30　　D. 40

17.《中华人民共和国保守国家秘密法》的保护对象是（　　）。

A. 国家秘密　　B. 商业秘密

C. 企业秘密　　D. 个人隐私

18. “商业秘密”作为一个法律名词，最早出现在我国的（　　）之中。

A.《中华人民共和国民事诉讼法（试行）》

B.《中华人民共和国劳动法》

C.《中华人民共和国反不正当竞争法》

D.《中华人民共和国民事诉讼法》

19. 对个人信息的保护，不能采取的方式是（　　）。

A. 技术手段　　B. 打击报复

C. 行业自律　　D. 立法规范

20. 一般来说，信息系统安全主要包括（　　）。

A. 系统安全和设备安全　　B. 物理安全和逻辑安全

C. 软件安全和硬件安全　　D. 人员安全和设施安全

二、填空题（本大题共5小题，每小题2分，共10分）请在每小题的空格中填上正确答案，错填、不填均无分。

21. 我国现阶段信息立法应遵循____________原则、____________原则、吸收借鉴原则和协调原则。

22. 相对于一般的财产所有权，知识产权具有____________性、地域性、____________性、无形性和可复制性。

23. 根据我国专利法的规定，外观设计要取得专利权，应当具有____________性和____________性，缺一不可。

24. 著作权属于民事权利，主要包括____________权利和____________权利两方面。

25. 要认定一件信息是否符合商业秘密，必须分析该信息是否同时具备____________性、____________性、实用性和保密性四个法律特征。

三、判断改错题（本大题共5小题，每小题4分，共20分）判断正误，在题后的括号内，正确的划上“√”，错误的划上“×”，并改正错误。

26. 信息政策的主要功能是规范或者约束人们，具有普遍的强制约束力。
（　　）

27. 知识产权是信息产权的核心部分，信息产权的范围大于知识产权。（　　）

28. 专利的发明人或设计人只能是自然人，不能是法人或其他单位。（　　）

29. 烟草广告中必须标明“吸烟有害健康”。（　　）

30. 突发事件按照发生的紧急程度、发展态势和可能造成的危害程度分为一级、二级、三级和四级，四级为最高级别。（　　）

四、简答题（本大题共5小题，每小题6分，共30分）

31.《中华人民共和国专利法》规定不视为侵犯专利权的情形有哪些？

32. 简述受著作权法保护的客体的条件。

33. 商业方法专利的主要类型有哪些？

34. 简述构成国家秘密的基本要素。

35. 简述计算机犯罪的特点。

五、论述题（本大题共 2 题，每小题 10 分，共 20 分）

36. 如何理解信息法制建设的重要意义。

37. 试述著作权与邻接权的区别。

四川省2016年4月高等教育自学考试
信息政策与法规　试卷
参考答案及评分细则

（课程代码02133）

一、单项选择题（本大题共20小题，每小题1分，共20分）

1. C　2. D　3. B　4. A　5. C　6. D　7. B　8. C
9. D　10. D　11. B　12. A　13. A　14. D　15. B　16. B
17. A　18. A　19. B　20. B

二、填空题（本大题共5小题，每小题2分，共10分）

21. 效益　实事求是
22. 专有　时间
23. 新颖　独创
24. 人身　财产
25. 秘密　价值

三、判断改错题（本大题共5小题，每小题4分，共20分）

26.（×）（2分）

改正：将“信息政策”改为“信息法律”。(2分)

27.（ √ ）（4分）

28.（ √ ）（4分）

29.（ √ ）（4分）

30.（×）（2分）

改正：将“四级为最高级别”改为“四级为最低级别”或“一级为最低级别”。(2分)

（打“√”的题，判断正确，给4分，判断错误不得分。打“×”的题，判断正确给2分，改错部分描述正确给2分。判断错误，该小题不得分；改正错误，该

小题不得改错分）

四、简答题（本大题共5小题，每小题6分，共30分）

31. 答：《中华人民共和国专利法》第六十九条对专利权做了若干限制性的规定，只要出现下列情形之一，不视为侵犯专利权：

（1）专利权用尽以后的使用或者销售。（2分）

（2）先用权。（1分）

（3）临时过境。（1分）

（4）科学研究与实验。（1分）

（5）专利药品或器械。（1分）

（6）善意第三人的使用或者许诺销售和销售。（1分）

（完全按参考答案描写或答案顺序颠倒，按答题要点的分值给分；其余答案酌情给分。）

32. 答：要成为著作权法保护的作品，无论作品是否公开发表，根据《中华人民共和国著作权法》的要求，一般必须具备：

（1）独创性。（2分）

（2）表达性。（1分）

（3）可复制性。（1分）

（4）合法性。（1分）

（5）是著作权法意义上的作品。（1分）

（完全按参考答案描写或答案顺序颠倒，按答题要点的分值给分；其余答案酌情给分。）

33. 答：（1）网络交易类。其包括对利用因特网进行的买卖活动、拍卖活动等方法和系统申请的专利。（2分）

（2）金融类。其包括融资的方法和系统、资金或风险管理的方法、支付结算的方法和系统。（2分）

（3）市场营销类。其包括各类信息发布、业务宣传与广告和市场拓展的方法与系统。（1分）

（4）管理类。其包括管理方法、会计方法、税务处理方法等。（1分）

（完全按参考答案描写或答案顺序颠倒，按答题要点的分值给分；其余答案酌情给分。）

34. 答：一般来说，构成国家秘密的基本要素有以下三个：

（1）关系国家的安全和利益。（2分）

（2）依照法定程序确定。（2分）

（3）在一定时间内只限一定范围的人员知悉。（2分）

（完全按参考答案描写或答案顺序颠倒，按答题要点的分值给分；其余答案酌情给分。）

35. 答：计算机犯罪是利用现代数字技术和网络技术实施的犯罪，它与传统的犯罪类型相比，有以下特点：

（1）危害性特别大。（2分）

（2）隐蔽性特别强。（1分）

（3）智能性高。（1分）

（4）连续性强。（1分）

（5）侦查取证难。（1分）

（6）犯罪黑数高。（1分）

（完全按参考答案描写或答案顺序颠倒，按答题要点的分值给分；其余答案酌情给分。）

五、论述题（本大题共2小题，每小题10分，共20分）

36. 答：信息法制建设的重要意义，可以从以下几个方面来理解：

（1）从人类发展的历史来看，信息法制建设是社会发展的要求。

（2）从技术与法律的关系来看，信息法制建设是信息技术应用的必然。

（3）从财产权法律体系的发展历程来看，信息法制建设是财产权法律体系的发展方向。

评分参考：（1）答题所用词语、句式可以与参考答案不同，只要意思正确，就可给分。

（2）要点回单完整、阐述充分，可得满分；阐述一般，可得7~8分；没有阐述，可得5~6分。

（3）要点回答不完整，但论述较好，可视情况酌情给分。

37. 答：（1）权利主体不同。著作权的权利主体为智力作品的创作者，包括自然人、法人或其他组织；邻接权的权利主体为作品的传播者，即出版者、表演者、音像制作者、广播电视组织，除表演者外，几乎都是法人或其他组织。

（2）权利的客体不同。著作权是具有独创性的作品，体现了作者的创造性劳动；邻接权是为了传播作品而赋予作品的传播形式，体现了传播者的创造性劳动。

（3）保护的内容不同。著作权主要是指作者对其作品享有发表、署名等人身和复制、发行、信息网络传播等财产权；邻接权是出版者对其出版的书刊的权利、表演者对其表演的权利、音像制作者对其音像制品的权利、广播电视者对其广播、电视节目的权利。

（4）保护的前提不同。作品只要符合法定条件，一经产生就可获得著作权保护；邻接权的取得必须以著作权人的授权及对作品的再利用为前提。

评分参考：（1）答题所用词语、句式可以与参考答案不同，只要意思正确，就可给分。

（2）要点回单完整、阐述充分，可得满分；阐述一般，可得 7~8 分；没有阐述，可得 5~6 分。

（3）要点回答不完整，但论述较好，可视情况酌情给分。

注：自 2017 年 1 月起四川省高等教育自学考试阅卷改为计算机阅卷，考试题型有所改变。

四川省 2017 年 1 月高等教育自学考试
信息政策与法规　试卷

（课程代码 02133）

本试卷分为两部分，满分 100 分，考试时间 150 分钟。

第一部分为选择题，应考者必须按试题顺序在“答题卡”上按要求填涂，答在试卷上无效。

第二部分为非选择题，应考者必须按试题顺序在“答题卡”上作答，答在试卷上无效。

第一部分　选择题（共 15 分）

一、单项选择题（本大题共 15 小题，每小题 1 分，共 15 分）

在每小题列出的四个备选项中只有一个是符合题目要求的，请将其选出并将“答题卡”的相应代码涂黑。错涂、多涂或未涂均无分。

1. 下列主体中，不能申请集体商标的是（　　）。

A. 团体　　B. 协会

C. 自然人　　D. 企业

2. 信息法中的“信息”指的是（　　）。

A. 一切信息　　B. 一切社会信息

C. 一切自然信息　　D. 有特定意义和范围的信息

3. 信息法律关系亦由三个要素构成，三个要素密切相关，缺一不可，分别是主体、客体和（　　）。

A. 关系　　B. 内容

C. 联系　　D. 权利

4. 布图设计自创作完成之日起（　　）年后，不再受保护。

A. 10　　B. 15

C. 20　　D. 25

5. 世界上最早提出对软件给予专利保护的国家是（　　）。

A. 德国　　B. 英国

C. 美国　　D. 中国

6. 食品广告不包括（　　）。

A. 饮料广告

B. 按照传统既是食品又是药品的物品的广告

C. 以治疗为目的的物品广告

D. 食品原料广告

7.《中华人民共和国商标法》第八条规定，能够作为商标的是任何能够将自然人、法人或者其他组织的商品与他人的商品区别开的可视性标志，下列不可以作为商标的是（　　）。

A. 文字　　B. 图形

C. 声音　　D. 字母

8. 商业方法专利中，申请量和授权量第一的是（　　）。

A. 金融类　　B. 网络交易类

C. 市场营销类　　D. 管理类

9. 甲厂以招标方法向社会公开征集企业形象标识设计，最终甲厂职工乙的设计稿被选用作为企业形象标识。乙设计的标识属于（　　）。

A. 受工厂委托而创作的作品

B. 为完成工厂的工作任务而创作的职务作品

C. 由工厂主持并代表工厂意志创作的法人作品

D. 不受著作权保护的作品在其装置中使用有关专利产品

10. 音乐家甲不幸英年早逝，留下创作完成而未公开的乐曲《江山万里红》，甲的继承人可以继承该作品的权利是（　　）。

A. 修改权　　B. 发表权

C. 署名权　　D. 获得报酬权

11. 统计机构和统计人员享有的统计信息权不包括（ ）。

A. 统计调查权　　B. 统计公布权

C. 统计报告权　　D. 统计监督权

12. 根据我国的著作权取得制度，下列选项的内容符合我国公民著作权产生的情况的是（ ）。

A. 随作品的发表而自动产生

B. 随作品的创作完成而自动产生

C. 在作品上加注版权标记后自动产生

D. 在作品以一定的物质形态固定后产生

13. “秘密级”国家秘密的保密期限一般不超过（ ）年。

A. 10　　B. 20

C. 30　　D. 40

14. 不属于我国信息技术标准等级的是（ ）。

A. 国家标准　　B. 内部标准

C. 企业标准　　D. 地方标准

15. 信息系统安全保护等级分为（ ）。

A. 二级　　B. 三级

C. 四级　　D. 五级

第二部分　非选择题（共 85 分）

二、填空题（本大题共 5 小题，每小题 2 分，共 10 分）

请在“答题卡”的试题序号后填上正确答案，错填、不填均无分。

16. 信息作为财产应属于____________。基于财产产生的权利称为财产权，基于信息这种财产也必然产生一种财产权，这就是____________。

17. 狭义的知识产权范围就是我们通常所说的传统的知识产权，即____________与____________两部分。

18. 商标权是商标法确认和保护的商标权人对其注册商标享有的专有权。其主体是____________，客体是____________。

19. 商业秘密是指不为公众所知悉，能为权利人带来经济利益，具有实用性并经权利人采取保密措施的____________和____________。

20. 信息系统安全一般包括____________和____________两方面。

三、判断改错题（本大题共5小题，每小题4分，共20分）

判断下列各题划线处的正误，在“答题卡”的试题序号后，正确的划上“√”；错误的划上“×”，并改正错误。

21. 信息法律和信息政策在本质上是相同的。 （ ）

22. 专利申请者一定要通过专利代理机构进行申请。 （ ）

23. 发明人或设计人只能是自然人，不能是法人或其他单位。 （ ）

24. 维持商业秘密最有效的方式是自己采取有效的保密措施，而维持专利有效需要缴纳年费。 （ ）

25. 著作权法是国际法，对所有国家都有效。

四、简答题（本大题共 4 小题，每小题 7 分，共 28 分）

26. 简述信息法律与信息政策的区别。

27. 专利权人的权利和义务是什么?

28. 简述证券信息公开的基本原则。

29. 计算机犯罪的特点是什么?

五、综合题（本大题共 2 小题，第 30 题 14 分，第 31 题 13 分，共 27 分）

30. 商业秘密和国家秘密的区别是什么？

31. 某锅炉厂委托某研究所为其开发锅炉自动控制器，并向研究所提供了全部的资金和设施。研究所张科长将这个任务下达给研究人员李某、陈某、沈某共同组成攻关小组，进行产品开发；同时，又派了两名工作人员负责协助小组的基本实验、数据分析等基础工作。经过努力产品研制成功。

问题：(1) 如果该发明创造申请专利，谁是这个产品的发明人？为什么？

(2) 如果该发明创造申请专利，专利申请人应该是谁？为什么？

四川省2017年1月高等教育自学考试
信息政策与法规 试卷
参考答案及评分细则

（课程代码02133）

一、单项选择题（本大题共15小题，每小题1分，共15分）

1. C　2. D　3. B　4. B　5. C　6. C　7. C　8. B
9. A　10. D　11. B　12. B　13. A　14. B　15. C

二、填空题（本大题共5小题，每小题2分，共10分）

16. 无形财产　信息产权
17. 版权（著作权）　工业产权
18. 商标权人　注册商标
19. 技术信息　经营信息
20. 物理安全　逻辑安全

三、判断改错题（本大题共5小题，每小题4分，共20分）

21. √（4分）
22. ×（2分）
改正：“一定”改为“不一定”。(2分)
23. √（4分）
24. √（4分）
25. ×（2分）
改正：改为“具有地域性”。(2分)

四、简答题（本大题共4小题，每小题7分，共28分）

26. 答：(1) 形式过程和表现形式不相同。(1分)
信息政策是政党和国家有关组织与部门制定的。(1分)

信息法律是国家权力机关制定的。(1 分)

(2) 实施方式和范围不完全相同。(2 分)

(3) 作用的时效和影响作用的过程不完全相同。(2 分)

27. 答:(1) 独占实施权。(1 分)

(2) 许可实施权。(1 分)

(3) 专利转让权。(1 分)

(4) 专利标记权。(1 分)

(5) 署名权。(1 分)

(6) 获得奖励和报酬的权利。(1 分)

(7) 公开发明创造的内容的义务。(1 分)

(8) 缴纳年费的义务。(1 分)

28. 答:(1) 真实原则。(2 分)

(2) 充分原则。(2 分)

(3) 准确原则。(2 分)

(4) 及时原则。(1 分)

29. 答:(1) 危害性特别大。(1 分)

(2) 隐蔽性特别强。(2 分)

(3) 智能性高。(1 分)

(4) 连续性强。(1 分)

(5) 侦查取证难。(1 分)

(6) 犯罪黑数高。(1 分)

五、综合题(本大题共 2 小题,第 30 题 14 分,第 31 题 13 分,共 27 分)

30. 答:(1) 两个“秘密”立法意图不同。(2 分)

国家秘密这一概念是 1982 年颁布的《中华人民共和国宪法》提出来的,后来《中华人民共和国保守国家秘密法》对其法律特征又做了规定,意在告诫公民在自己从事的工作中接触国家秘密、合法利用国家秘密,均应遵守《中华人民共和国保守国家秘密法》的规定。

商业秘密这一概念被提出是 1979 年颁布的《中华人民共和国民事诉讼法》提出来的,1993 年颁布的《中华人民共和国反不正当竞争法》对其规定了法律特征。

(2) 两个“秘密”的法律特征不同。

国家秘密的法律特征有以下三点（2分）：

①关系国家的安全和利益的事项。

②依照法定程序确定。

③在一定时间内只限一定范围的人员知悉。

商业秘密的法律特征有以下四点（2分）：

①不为公众所知悉。

②能为权利人带来经济利益。

③具有实用性。

④权利人采取了保密措施。

（3）两个“秘密”的权利主体不同。（2分）

国家秘密的权利主体是国家，国家是国家秘密的唯一拥有人。

商业秘密的权利主体是不特定的民事主体（集团或个人）。

（4）两个“秘密”确定程序不同。（1分）

国家秘密强调要经过法定程序确定，并且在《中华人民共和国保守国家秘密法》中规定了一套极为严格的确定程序。

商业秘密的确定程序没有明确规定，只要权利人自行明确即可。

（5）两个“秘密”的标志不同。（1分）

国家秘密分为三个等级，同时又原则性地规定了区分三个密级的标准。三个不同的等级如何在密件或密品上标志也有专门的规定。

商业秘密的分级与标志可自行确定，但不得与国家秘密标志相同。

（6）两个“秘密”一旦泄露危害的对象不同。（2分）

国家秘密一旦泄露，危害的是国家的安全和利益。

商业秘密一旦被侵犯，会损害商业秘密权利人的利益，严重的会危及市场秩序。如果经营信息和技术信息一旦泄露，会损害国家的安全和利益，那它就应该被定为国家秘密而不是商业秘密。

（7）两个“秘密”一旦泄露所承担的法律责任不同。（2分）

国家秘密一旦泄露，泄露者除了要承担行政责任外，构成犯罪的还应承担刑事责任。

商业秘密一旦被侵犯，并构成不正当竞争行为，泄露者要分别承担民事赔偿责任、行政处罚责任或刑事责任。

31. 答：（1）发明人是李某、沈某、陈某。（2分）

专利法的发明人是指对发明创造的实质性特点（2 分）做出创造性贡献（2 分）的人。

(2) 研究所有权申请专利。(3 分)

根据规定，一个单位接受其他单位的委托所完成的发明创造，除另有约定外，专利申请的权利属于完成单位。(2 分)

但是委托人可以免费实施该项专利。(2 分)

四川省2017年4月高等教育自学考试
信息政策与法规 试卷

（课程代码02133）

本试卷分为两部分，满分100分，考试时间150分钟。

第一部分为选择题，应考者必须按试题顺序在“答题卡”上按要求填涂，答在试卷上无效。

第二部分为非选择题，应考者必须按试题顺序在“答题卡”上作答，答在试卷上无效。

第一部分 选择题（共25分）

一、单项选择题（本大题共15小题，每小题1分，共15分）

在每小题列出的四个备选项中只有一个是符合题目要求的，请将其选出并将“答题卡”的相应代码涂黑。错涂、多涂或未涂均无分。

1. 信息法与宪法的关系是（　　）。

A. 普通法与根本法之间的关系

B. 部门法与部门法之间的关系

C. 实体法与程序法之间的关系

D. 国际法与国内法之间的关系

2. 信息活动中最重要和最基本的信息主体是（　　）。

A. 法人　　B. 自然人

C. 国家　　D. 社团组织

3. 广义的知识产权范围包括（　　）。

A. 专利权　　B. 商标权

C. 版权　　D. 一切人类智力创造成果

4. 在我国，发明专利权的保护期限为（　　）年。

A. 10　　B. 15

C. 20　　D. 30

5. 根据《中华人民共和国专利法》的规定，职务发明创造的专利权属于（　　）。

A. 发明人或设计人

B. 发明人或设计人所属单位

C. 发明人或设计人及所属单位共同拥有

D. 既不属于发明人也不属于单位

6. 我国商标法的核心是（　　）。

A. 保护商标专用权　　B. 保护注册商标权

C. 保护商标财产权　　D. 保护制造商标权

7. 根据我国《中华人民共和国著作权法》的规定，受著作权保护的客体应是（　　）。

A. 财产　　B. 思想

C. 作品　　D. 创意

8. 对著作权的限制实际上是限制著作权的（　　）。

A. 发表权　　B. 财产权

C. 署名权　　D. 修改权

9. 目前对计算机软件最主要的法律保护方式为（　　）。

A. 利用《中华人民共和国著作权法》

B. 利用《中华人民共和国专利法》

C. 利用《中华人民共和国反不正当竞争法》

D. 利用《中华人民共和国宪法》

10. 一般来说，布图设计专利权的保护期为（　　）年。

A. 5　　B. 10

C. 15　　D. 20

11. 根据《中华人民共和国标准化法》的规定，不是信息技术标准等级的是（　　）。

A. 国家标准　　B. 企业标准

C. 地方标准　　D. 国际标准

12. 世界上第一部图书馆法是由（　　）制定的。

A. 中国　　B. 美国

C. 英国　　D. 法国

13.《中华人民共和国保守国家秘密法》的最大特点是（　　）。

A. 重点突出　　B. 奖惩分明

C. 预防为主　　D. 严惩重罚

14. 认定商业秘密的最基本条件是该技术信息或经营信息必须具有（　　）。

A. 秘密性　　B. 价值性

C. 实用性　　D. 保密性

15. 隐私权的核心内容是（　　）。

A. 对自己的隐私可依照自己的意志进行支配

B. 隐私权受环境的影响，应有条件地使用

C. 在一定范围内可自由使用

D. 在一定时间内可自由使用

二、多项选择题（本大题共5小题，每小题2分，共10分）

在每小题列出的五个备选项中至少两个是符合题目要求的，请将其选出并将"答题卡"的相应代码涂黑。错涂、多涂、少涂或未涂均无分。

16. 信息法制建设一般可以通过（　　）层次来实现。

A. 法律　　B. 法规

C. 道德　　D. 纪律

E. 政策

17. 我国现行的与知识产权制度相关的法律包括（　　）。

A.《中华人民共和国著作权法》

B.《中华人民共和国专利法》

C.《中华人民共和国商标法》

D.《中华人民共和国证券法》

E.《中华人民共和国反不正当竞争法》

18. 下列选项中，不能取得专利权的有（　　）。

A. 科学发现　　B. 智力活动的规则和方法

C. 疾病的诊断和治疗方法　　D. 动物和植物品种

E. 用原子核变换方法获得的物质

19.《中华人民共和国著作权法》中规定的邻接权主要有（　　）。

A. 出版者的权利　　B. 作者的权利

C. 表演者的权利　　D. 音像制作者的权利

E. 广播组织的权利

20. 商业方法专利的主要类型有（　　）。

A. 网络交易类　　B. 金融类

C. 市场营销类　　D. 管理类

E. 技术类

第二部分　非选择题（共 75 分）

三、名词解释题（本大题共 4 小题，每小题 3 分，共 12 分）

21. 信息政策

22. 专利权

23. 著作权的合理使用

24. 数字作品

四、判断改错题（本大题共5小题，每小题4分，共20分）

判断下列各题的正误，在“答题卡”的试题序号后，正确的划上“√”；错误的划上“×”，并改正错误。

25. 专利的申请既可以申请人自行申请，也可以委托专利代理机构办理。（ ）

26. 在我国，商标不注册也可以使用，而商号不经登记不得使用。（ ）

27. 在我国，域名一经获得即可永久使用，无须定期续展。（ ）

28. 委托开发的计算机软件，委托人与受委托人之间无合同约定或者合同约定不明确的，该计算机软件的著作权属于委托人。（　　）

29. 行为人不知其存储设备中有病毒而给他人复制数据文件或程序，使他人计算机系统感染病毒的，构成制作、传播计算机破坏性程序罪。（　　）

五、简答题（本大题共4小题，每小题7分，共28分）

30. 现阶段我国信息立法应遵循哪些基本原则？

31. 知识产权具有哪些特征？

32. 要成为《中华人民共和国著作权法》保护的作品，一般必须具备哪些条件？

33. 影响信息系统安全的因素有哪些？

六、论述题（本大题共 1 小题，15 分）

34. 试分析商业秘密与国家秘密的区别。

四川省2017年4月高等教育自学考试
信息政策与法规 试卷
参考答案及评分细则

（课程代码 02133）

一、单项选择题（本大题共15小题，每小题1分，共15分）

1. A　2. B　3. D　4. C　5. B　6. A　7. C　8. B
9. A　10. B　11. D　12. C　13. C　14. A　15. A

二、多项选择题（本大题共5小题，每小题2分，共10分）

16. ABE　17. ABCE　18. ABCDE　19. ACDE　20. ABCD

三、名词解释题（本大题共4小题，每小题3分，共12分）

21. 信息政策是一个国家或组织在一定时期内为处理信息和信息产业中出现的各种矛盾而制定的，具有一定强制性的一系列规定的总和。

22. 专利权是专利法律制度的核心，是指一项发明创造，向国家主管部门提出专利申请，经依法审查合格后，向专利申请人授予的在规定时间内对该项发明创造享有的专有权。

23. 著作权的合理使用是指为了个人学习、研究或欣赏目的，为了教育、科学研究、宗教或慈善事业使用他人作品，不需要征得作者同意，也不需要向其支付报酬，但应尊重作者的人身权利的使用行为。

24. 数字作品是指各种以二进制数字编码形式表达的作品的统称。数字作品分为数字化作品和数字式作品。

四、判断改错题（本大题共5小题，每小题4分，共20分）

25.（√）（4分）
26.（√）（4分）
27.（√）（4分）

28.（×）（2分）

改正："委托人"改为"受委托人（或开发者）"。（2分）

29.（×）（2分）

改正："构成"改为"不构成"。（2分）

五、简答题（本大题共4小题，每小题7分，共28分）

30. 答：现阶段我国信息立法的基本原则如下：

（1）效益原则。（2分）

（2）实事求是原则。（2分）

（3）吸收借鉴原则。（2分）

（4）协调原则。（1分）

31. 答：知识产权作为一种特殊的民事权利，相对于一般的财产所有权，具有以下的特征：

（1）专有性。（2分）

（2）地域性。（2分）

（3）时间性。（1分）

（4）无形性。（1分）

（5）和可复制性。（1分）

32. 答：要成为《中华人民共和国著作权法》保护的作品，无论作品是否公开发表，根据《中华人民共和国著作权法》的要求，一般必须具备以下五个条件：

（1）独创性，即作者独立的智力创作。（2分）

（2）表达性，即必须以客观的表达形式体现出来。（2分）

（3）可复制性，即作者创作的作品能被用印刷、复印、临摹、拓印、录音、录像、翻录、翻拍等方式制作一份或多份的行为。（1分）

（4）合法性，即作品的内容不违反宪法、法律、法规和社会公共道德。（1分）

（5）著作权法意义上的作品。（1分）

33. 答：危害信息系统的安全的因素主要有自然灾害和人为灾害两大类。（2分）自然灾害是由一些人类不可控制的因素引起的。自然灾害主要有地震、火山爆发、洪水、台风、雷击等。（1分）人为因素又可以分为有意灾害和无意灾害。（1分）有意灾害主要指一些人员违纪、违法和犯罪，非法侵入或破坏信息系统，给信息系统安全带来的危害。（1分）无意灾害主要指失误操作、故障及火灾等一些因素，给信息系统安全带来的危害。(1 分) 在危害信息系统安全的因素中，计算机病毒和黑客对信息系统安全危害最大、最严重。(1 分)

六、论述题（本大题共 1 小题，15 分）

34. 答：商业秘密和国家秘密之间的区别主要表现在：

第一，两者的法律出处不同。(1 分)

在我国，国家秘密这一概念是在 1982 年《中华人民共和国宪法》中提出的，后来在《中华人民共和国保守国家秘密法》中对其法律特征做了规定。商业秘密这一概念是在 1979 年颁布的《中华人民共和国民事诉讼法（试行）》中第一次被提出的，在 1993 年颁布的《中华人民共和国反不正当竞争法》中对其规定了较详尽的法律特征。(2 分)

第二，两者的法律特征不同。(1 分) 国家秘密的法律特征是国家秘密的本质特征是关系国家安全和利益的事项，保密工作是依照法定程序确定的，而且在一定时间内只限一定范围的人员知悉。商业秘密的法律特征就是秘密性、价值性、实用性和保密性。(2 分)

第三，两者的权利主体不同。(1 分) 国家秘密的权利主体是“国家”，国家是国家秘密的唯一拥有人。商业秘密的权利主体是不特定的民事主体，企事业单位或其他组织和个人都有可能成为商业秘密的主体。(2 分)

第四，确定的程序不同。(1 分) 国家秘密要经过法定程序确定，而且确定程序严格。商业秘密的确定程序无明确规定，只要权利人认可即可。(1 分)

第五，两者的标志不同。(1 分) 国家秘密分为三个等级，即秘密、机密和绝密。商业秘密的分级与标志可自行确定，但不得与国家秘密标志相同。(1 分)

第六，两者一旦泄露，危害的对象以及所承担的法律责任不同。(1 分) 国家秘密一旦泄露，危害的一般是国家的安全和利益，其责任人除了承担行政责任外，构成犯罪的还应承担刑事责任。商业秘密一旦被侵犯，会损害商业秘密权利人的利益，甚至危及市场秩序，构成不正当竞争行为，分别承担民事赔偿责任、行政处罚责任或刑事责任。(1 分)